Chère lectrice,

En cc bcau mois de mai, je suis particulièrement heureuse de vous emmener à Londres, sur les pas d'Isobel et du cheikh Tariq (*Un si troublant tête-à-tête* de Sharon Kendrick, Azur n° 3472). Isobel se croit immunisée contre le charme légendaire de son patron, mais lorsqu'ils sont amenés à partager l'intimité du petit cottage qu'elle possède à la campagne, elle devine que rien ne sera jamais plus comme avant. Et si cette jeune Anglaise, aussi impétueuse qu'indépendante, pouvait conquérir le cœur du plus arrogant des cheikhs ?

Et pour celles d'entre vous qui ne jurent que par le soleil méditerranéen, le deuxième tome de votre merveilleuse saga, « La fierté des Corretti », vous fera découvrir le cadre enchanteur de la Sicile. Dans *La fiancée de Luca Corretti*, Sarah Morgan a imaginé des héros hors du commun, vibrant de vie et de passion. La belle Taylor Carmichael et le sulfureux Luca Corretti ont tous deux d'excellentes raisons de se prêter au jeu des fausses fiançailles, mais ce qu'ils ne pouvaient pas prévoir, c'est que de cette troublante comédie naîtrait un bouleversant amour…

Je vous souhaite une excellente lecture !

La responsable de collection

La vengeance d'un héritier

MELANIE MILBURNE

La vengeance
d'un héritier

collection *Azur*

éditions HARLEQUIN

Collection : Azur

Cet ouvrage a été publié en langue anglaise
sous le titre :
ENEMIES AT THE ALTAR

HARLEQUIN®
est une marque déposée par le Groupe Harlequin
Azur® est une marque déposée par Harlequin S.A.

ÉDITIONS HARLEQUIN
83-85, boulevard Vincent-Auriol, 75646 PARIS CEDEX 13.
Service Lectrices — Tél. : 01 45 82 47 47
www.harlequin.fr

ISBN 978-2-2803-0688-1 — ISSN 0993-4448

1.

— *Papà* est mort.

Andreas hocha la tête. En constatant que ce coup de téléphone pour le moins matinal provenait de sa sœur Miette, il s'était bien douté que quelque chose de grave était survenu. Mais si pour beaucoup ces trois mots auraient déclenché un maelström d'émotions, pour lui, ils signifiaient seulement qu'il était libéré de ses obligations. Il n'aurait plus à jouer les bons fils dans les rares occasions où son chemin croisait celui de son père.

— Quand se tiendront les obsèques ? demanda-t-il.

— Jeudi, répondit Miette. Tu viendras ?

Il jeta un coup d'œil à la femme endormie à côté de lui, dans le grand lit de la chambre d'hôtel, et frotta sa joue râpeuse en soupirant. Son père n'aurait pu choisir un plus mauvais moment pour mourir… C'était justement ce week-end, à Washington, qu'il projetait dès la fin de sa réunion d'affaires de demander Portia en mariage. Il avait déjà la bague dans son porte-documents. Il lui faudrait choisir un autre moment : il ne pouvait être question d'associer ses fiançailles avec un souvenir lié à son père.

La voix de sa sœur le tira de ses réflexions :

— Andreas ? Ce serait bien que tu sois là ; sinon à la mémoire de *papà*, au moins pour moi. Tu sais combien j'ai horreur des enterrements, surtout après celui de *mamma*.

Il fut assailli par une brusque colère en repensant à sa mère, si belle et pourtant si cruellement trahie. Plus sûrement que le cancer, c'était selon lui l'infidélité de son mari qui l'avait tuée. Guido Ferrante couchait avec Nell Baker, une simple domestique, pendant que sa femme se débattait entre la maladie et une chimiothérapie exténuante.

Ensuite, pour ajouter l'insulte à la blessure, cette horrible Nell Baker et sa traînée de fille, Sienna, avaient dénaturé la cérémonie d'adieu pour en faire un sordide épisode de vulgaire feuilleton.

— Je serai là, dit-il.

Mais cette peste de Sienna Baker n'avait pas intérêt à se montrer !

La première personne que vit Sienna en arrivant aux obsèques de Guido Ferrante, à Rome, fut Andreas. Ou plutôt, ses yeux lui confirmèrent la présence qu'elle avait immédiatement pressentie en pénétrant dans la cathédrale, dans un long frémissement et une accélération subite de son rythme cardiaque.

Il était assis au premier rang et tout, dans sa manière de se tenir, son port de tête, exsudait la richesse, la puissance et l'appartenance à l'aristocratie. Il dépassait de plusieurs centimètres les autres hommes en costume sombre et elle reconnut ses cheveux d'un noir de jais, ni courts ni longs, impeccablement coupés.

Il se pencha pour dire quelque chose à la jeune femme à côté de lui. La seule vue de son profil suffit à bouleverser Sienna, qui porta une main à sa poitrine. Elle avait chassé les traits d'Andreas de sa mémoire depuis des années en s'interdisant de penser à lui. Il appartenait à un passé dont elle avait terriblement honte. Elle était si jeune et immature, à l'époque ! Incapable de voir plus loin que le bout de son nez, elle avait stupidement travesti la vérité et en avait chèrement payé les conséquences. Elle avait dix-sept ans, alors…

Comme si Andreas avait tout à coup senti lui aussi sa présence, il se retourna. Leurs regards se croisèrent. Elle eut l'impression d'être frappée par la foudre.

Cela dura à peine une fraction de seconde. Figeant un sourire indifférent sur son visage, elle rejeta fièrement en arrière ses longs cheveux blond platine et s'avança nonchalamment dans l'allée pour prendre place quelques rangées derrière lui.

La colère d'Andreas pénétrait en elle par tous les pores de sa peau. Elle en avait la chair de poule et les jambes en coton. Mais pas question de laisser transparaître ses émotions. Au contraire, elle affichait un calme et une maîtrise de soi dont elle aurait été bien incapable huit années plus tôt.

Elle avait reconnu la voisine d'Andreas : sa dernière conquête, Portia Briscoe. A en croire les rumeurs qui circulaient dans la presse et sur internet, ils étaient sur le point de se fiancer. Ce qui ne signifiait pas pour autant qu'Andreas Ferrante, ce prince charmant des temps modernes, était amoureux. Comme son père et son grand-père avant lui, il avait simplement choisi un beau parti, une femme qui convenait à son rang, à sa prestigieuse position sociale. L'amour n'avait rien à voir dans cette histoire.

A en juger d'après les apparences, Portia Briscoe était la candidate parfaite pour le rôle. D'une beauté classique, toujours parfaitement coiffée et maquillée, elle était d'une élégance sans faille et ne portait certainement jamais de vieux jeans élimés ou des T-shirts froissés comme elle. Cette femme s'habillait chez les grands couturiers, arborait un sourire publicitaire et avait un teint délicat de porcelaine. Elle ne commettait probablement jamais le moindre faux pas et son histoire n'était pas, comme la sienne, entachée de gaffes et d'étourderies qui laissaient un goût honteux et désagréable.

Grand bien lui fasse…

Dès que la cérémonie toucha à sa fin, Sienna se glissa hors de l'église. Elle ne savait pas vraiment pourquoi elle s'était sentie obligée de dire un dernier adieu à un homme qui ne lui avait même pas inspiré de sympathie de son vivant. Mais, en apprenant par les journaux qu'il était mort d'une crise cardiaque, elle avait immédiatement songé à sa propre mère.

Nell avait aimé Guido Ferrante.

Elle avait travaillé pendant des années comme gouvernante chez les Ferrante. Sienna avait encore un souvenir cuisant du scandale que sa mère avait provoqué en assistant aux obsèques d'Evaline Ferrante. Les journalistes s'en étaient régalés comme une meute de hyènes autour d'une carcasse encore fumante. Voir sa mère traînée dans la boue avait été une des expériences les plus humiliantes de sa vie. Elle s'était alors juré de ne jamais se retrouver à la merci d'un homme. Elle garderait le contrôle de sa destinée. Personne ne lui dicterait sa conduite, surtout pas quelqu'un qui se croyait supérieur par la naissance ou par l'argent.

Elle ne tomberait *jamais* amoureuse.

Un homme bien habillé, d'une cinquantaine d'années, s'approcha d'elle.

— Pardonnez-moi, vous êtes bien miss Baker ? Sienna Louise Baker ?

— Oui. A qui ai-je l'honneur ?

— Je m'appelle Lorenzo di Salle. Je suis le notaire de feu Guido Ferrante.

Elle serra la main qu'il lui tendait.

— Enchantée. Mais si vous voulez bien m'excuser, je dois partir.

A peine eut-elle fait un pas que la voix de l'homme de loi l'immobilisa :

— Vous êtes invitée à la lecture du testament de Guido Ferrante.

Sienna le regarda, bouche bée.

— Pardon ?

— En tant que bénéficiaire.

— *Bénéficiaire ?* répéta-t-elle, interloquée. Mais pourquoi ?

— Le *signore* Ferrante vous a légué une propriété.

— Que… Comment ? bredouilla-t-elle.

— Le château de Chalvy, en Provence.

Le cœur de Sienna s'arrêta de battre pendant une fraction de seconde.

— Il doit y avoir une erreur. C'était la maison de famille d'Evaline Ferrante. Elle doit plutôt revenir à Andreas ou Miette, non ?

— Le *signore* Ferrante a tenu à vous la laisser. Sous certaines conditions, néanmoins.

Sienna plissa les yeux.

— Quelles conditions ?

Lorenzo di Salle eut un sourire sibyllin.

— La lecture du testament aura lieu dans la bibliothèque de la villa Ferrante, demain à 15 heures. Je vous dis donc à demain.

Andreas arpentait la bibliothèque de long en large comme un lion en cage. Il n'avait pas remis les pieds depuis des années dans la maison de famille — précisément depuis la nuit où on avait retrouvé Sienna Baker, qui avait dix-sept ans, presque nue dans sa chambre. Cette petite vicieuse s'en était sortie avec le beau rôle en posant à l'innocente ingénue victime des assauts d'un monstre de perversité.

Apparemment, son père avait cru à cette version au point d'inclure Sienna dans son testament.

Il ne pouvait pas y avoir d'autre raison puisqu'il n'existait aucun lien de parenté entre Guido et elle. Sienna n'était que la fille de la gouvernante. Aventurière sans morale, elle avait fait un mariage d'argent mais son vieux mari était mort en la laissant pratiquement sans le sou. Elle avait manifestement su s'insinuer dans les bonnes grâces de son père pour saisir avidement quelques miettes d'héritage. En tout cas, Andreas était prêt à tout pour que la propriété provençale qui avait appartenu à sa mère ne tombe pas entre ses mains.

Oui, prêt à tout, absolument.

Au moment où il se répétait cette phrase, la porte s'ouvrit sur Sienna Baker, qui fit une entrée royale, comme si les lieux lui appartenaient. Elle était au moins habillée un peu plus décemment que la veille, même si sa très courte jupe en jean révélait un peu trop ses longues jambes fuselées, et si le chemisier blanc qui moulait sa jolie poitrine était à la limite de la bienséance. Sans le moindre maquillage, avec ses cheveux platine qui retombaient souplement sur ses épaules, elle paraissait sortir tout droit des pages d'un magazine de mode. D'ailleurs, à sa vue, l'assistance — femmes comprises — retint son souffle.

Andreas avait mis des années à maîtriser les réactions assez incroyables que cette femme lui inspirait. La veille, à l'église, un sixième sens l'avait immédiatement averti de son arrivée. Il l'avait sentie intuitivement.

Il baissa les yeux sur sa montre avant de lui lancer un regard méprisant.

— Tu es en retard.

— De deux minutes seulement, mon cher. Ne sois pas si pointilleux.

Le notaire s'agita sur sa chaise en remuant des papiers.

— Pouvons-nous commencer ? Miette, d'abord…

Andreas resta debout. Sa sœur, même si elle n'en avait nullement besoin car son mari était riche, recevait une large part de l'héritage. La petite arriviste effrontée qu'était Sienna n'avait pas réussi à lui causer du tort. Miette héritait de la villa familiale de Rome ainsi que d'un portefeuille d'actions d'une valeur de plusieurs millions. Comme lui, elle s'était beaucoup éloignée de leur père durant les dernières années, mais cela ne lui avait pas porté préjudice.

Lorenzo di Salle énuméra ensuite les différents legs prévus au testament de Guido.

— Venons-en à présent à Andreas et Sienna, dit-il enfin. Il vaudrait mieux aborder la question en privé, juste avec eux deux, si toutefois personne n'y voit d'inconvénient.

Andreas se raidit. En aucun cas il n'avait envie d'être associé à cette tigresse qui l'avait toujours désagréablement déstabilisé. Et puis c'était à cause d'elle qu'il n'avait pas remis les pieds dans la maison familiale pendant des années — au point d'en négliger sa mère durant les dernières semaines de son existence. Et la honteuse mise en scène de Sienna avait à jamais détruit ses relations avec son père.

Depuis huit ans, il la haïssait et ne songeait qu'à se venger.

Après avoir laissé à tout le monde le temps de quitter la bibliothèque, le notaire ouvrit un nouveau dossier.

— Le château de Chalvy, en Provence, vous revient à tous deux, à la condition expresse que vous viviez légalement comme mari et femme pendant un minimum de six mois.

Andreas n'enregistra pas immédiatement la signification de ces paroles. Il lui fallut quelques secondes pour en comprendre pleinement le sens. Mais même alors, il se demanda s'il avait bien entendu.

Sienna et lui… mariés !

Devant la loi. Et condamnés à vivre ensemble pendant six mois…

— C'est une plaisanterie, dit-il enfin.

— Pas du tout, répliqua Lorenzo di Salle. Votre père a modifié son testament au cours du dernier mois de sa vie et s'est montré catégorique. Si vous refusez tous deux la clause, la propriété ira à un parent éloigné.

Andreas savait exactement à qui le notaire faisait allusion. S'il ne se conformait pas aux dernières volontés de son père, la demeure ancestrale de sa mère serait vendue pour éponger les dettes de jeu de son cousin au second degré. Guido avait pensé à tout pour lui tendre un piège parfait. Il ne pouvait que lui obéir, hélas…

Sienna, qui était jusque-là restée calme, les mâchoires serrées, explosa soudain en bondissant sur ses pieds, un éclair de rage au fond de ses yeux gris-bleu :

— Je ne me marierai pas avec lui !

Il lui jeta un regard réprobateur.

— Assieds-toi et tais-toi, pour l'amour du ciel !

Elle grimaça une moue de mépris.

— Je ne me marierai pas avec toi.

— Heureux de l'entendre, répliqua-t-il sèchement, avant de se tourner vers le notaire. Il doit y avoir un moyen de contourner la clause. Je suis sur le point de me fiancer.

Lorenzo di Salle eut un geste d'impuissance.

— Tout est verrouillé. Si l'un de vous refuse de coopérer, l'autre héritera automatiquement.

— *Comment ?* lancèrent Andreas et Sienna en même temps.

Il la foudroya du regard, puis s'adressa seul au notaire :

— Elle ne peut tout de même pas devenir propriétaire du château de Chalvy contre mon gré ?

Lorenzo di Salle hocha la tête.

— Et il en sera de même également si l'un de vous quitte l'autre avant les six mois. Le *signore* Ferrante ne vous laisse pas le choix.

— Pourquoi six mois ? demanda Sienna.

— Parce que au-delà je serai probablement condamné pour meurtre, marmonna Andreas.

Il se tourna vers l'homme de loi.

— Qu'arriverait-il si nous tenions jusque-là ?

— Vous hériteriez du château et Sienna serait dédommagée.

En entendant la somme énoncée par di Salle, Andreas leva les yeux au ciel.

— Juste pour jouer la comédie et faire semblant d'être une parfaite maîtresse de maison pendant six mois ? C'est scandaleux !

— Ce serait un dédommagement bien mérité si j'arrivais à te supporter aussi longtemps, rétorqua Sienna.

Il la scruta avec attention.

— C'est toi qui as tout manigancé, n'est-ce pas ? lança-t-il entre ses dents serrées. Tu as entourloupé mon père pour mettre le grappin sur une part de l'héritage.

Sienna soutint son regard sans broncher.

— Cela fait cinq ans que je n'ai pas revu Guido. Il n'a même pas eu la décence de m'envoyer des fleurs ou un mot de condoléances à la mort de ma mère.

— Pourquoi es-tu venue à ses obsèques si tu le détestes tant ?

Elle redressa le menton d'un air agressif et outré.

— Je ne me serais certainement pas déplacée exprès mais j'avais un essayage pour le mariage de ma sœur, qui aura lieu le mois prochain.

— J'ai suivi dans les journaux l'histoire de tes retrouvailles avec ta jumelle, dit-il. J'ose espérer pour son futur mari qu'elle ne te ressemble pas !

La jeune femme lui lança un regard furibond.

— J'ai assisté à l'enterrement de ton père par respect pour ma mère. Elle serait venue, si elle vivait encore. Rien n'aurait pu l'en empêcher.

Andreas eut un sourire moqueur.

— Non, même pas le sens des convenances.

Elle bondit sur ses pieds et leva la main pour lui assener une gifle, mais il saisit son poignet pour l'en empêcher. Aussitôt, le contact de sa peau satinée provoqua en lui une sorte de décharge électrique. Sienna dut la percevoir elle aussi car ils se figèrent tous les deux.

Pendant une fraction de seconde, une menace sourde, dangereusement primitive, crépita entre eux. Puis il la lâcha et recula d'un pas.

— Veuillez excuser Mlle Baker, dit-il à l'intention du notaire. Elle a une fâcheuse tendance à tout transformer en mélodrame.

Sienna lui lança un regard haineux.

— Salaud.

Lorenzo di Salle referma ses dossiers et se leva.

— Vous avez une semaine pour prendre votre décision, déclara-t-il. Je vous suggère de réfléchir soigneusement. Il y a beaucoup à perdre des deux côtés si vous refusez de coopérer.

— Ma décision est déjà prise, dit Sienna en croisant les bras. Je n'épouserai pas cet homme.

Andreas éclata de rire.

— Allons, Sienna ! Tu ne vas tout de même pas laisser passer cette petite fortune ?

Elle vint se planter devant lui, le regard fier, les poings sur les hanches. Une telle énergie sexuelle se dégageait de sa personne qu'il en fut ébranlé. Puis elle se pencha, si près qu'il sentit l'odeur de miel et de citron de ses cheveux.

— Ah, tu crois ?

Sur ces mots, elle tourna les talons et s'éloigna de sa démarche souple.

2.

Kate leva les yeux de son journal en fronçant les sourcils. D'une mimique et d'un geste de la main, Sienna incita sa colocataire à s'expliquer.

— Apparemment, Andreas Ferrante et sa maîtresse ont rompu. Tu ne m'avais pas dit qu'ils étaient sur le point de se fiancer ?

Sienna se tourna vers l'évier en faisant semblant de laver sa tasse.

— Je me moque éperdument d'Andreas Ferrante.

— Attends un peu…

Kate chercha une page intérieure et étala le journal sur la table du petit déjeuner.

— Oh ! mon Dieu ! s'exclama-t-elle. Dis, Sienna, c'est vrai ?

— Quoi donc ?

— C'est à cause de toi ?

— Montre-moi !

Sienna lut l'article le cœur battant.

Le célèbre designer franco-italien Andreas Ferrante rend publique sa liaison avec Sienna Baker, la fille d'une ancienne gouvernante de sa famille, mettant du même coup un terme à ses relations avec Portia Briscoe.

— C'est complètement faux ! s'écria-t-elle en tapant du poing sur la table.

La bouteille de lait se renversa. Elle la redressa, furieuse, et attrapa une éponge pour nettoyer la nappe.

— Quel intérêt aurait-il à raconter un mensonge ? lança Kate.

— Parce qu'il veut m'épouser.

— Quoi ? s'exclama son amie. J'ai bien entendu ?

— Oui. Mais, moi, je n'ai pas du tout l'intention de me marier avec lui.

— Je rêve ! lança Kate en portant la main à son front dans un geste théâtral. Andreas Ferrante, milliardaire florentin, l'homme le plus beau de la planète, veut t'épouser et tu lui as dit non ?

Sienna essuya le pot de confiture avec une expression profondément irritée.

— Il n'est pas si beau que cela.

— Ah, tu trouves ? Et son compte en banque ?

— L'argent ne m'intéresse pas. Je me suis déjà mariée une fois par intérêt. Je ne recommencerai pas.

— Mais tu aimais Brian ! Tu as pleuré toutes les larmes de ton corps à son enterrement.

Elle songea à son défunt mari, qu'elle avait épousé non par amour mais par besoin d'être protégée. C'était juste après la mort de sa mère, et un épisode désastreux de son existence l'avait poussée à rechercher avant tout la sécurité. Après avoir sans doute beaucoup trop bu, elle s'était retrouvée au lit avec un parfait inconnu… Brian Littlemore lui avait offert la respectabilité qui lui manquait. Même s'il souffrait lui aussi d'avoir vécu dans le mensonge pendant la plus grande partie de sa vie, il s'était montré avec elle d'une honnêteté irréprochable ; elle lui en avait toujours été infiniment reconnaissante. Brian avait maintenant emporté son secret dans la tombe et elle ne trahirait jamais sa confiance.

— Brian était un homme d'une grande bonté, dit-elle simplement.

— C'est dommage qu'il ne t'ait rien laissé… Ta sœur pourra peut-être t'aider à payer ta part de loyer si tu ne trouves pas de travail dans les jours qui viennent.

Elle ne s'était pas encore habituée à l'idée d'avoir une sœur, encore moins une jumelle. Elles avaient été séparées à la naissance, lorsque leur mère avait accepté un dédommagement financier pour abandonner Giselle à son amant, le riche Australien déjà marié qui l'avait mise enceinte. Nell l'avait donc gardée, tandis que Hilary et Richard Carter, couple sans enfant, adoptaient Giselle comme leur propre fille.

Nell Baker n'avait jamais révélé son secret. Sienna avait découvert la vérité tout à fait par hasard au cours de vacances en Australie, deux mois plus tôt. Après la mort de Brian, elle avait en effet profité d'une offre promotionnelle pour partir en voyage et se changer les idées. Elle qui rêvait depuis toute petite de découvrir l'Australie y avait assez incroyablement, grâce à un concours de circonstances inouï, rencontré sa sœur jumelle.

Un lien très fort s'était noué entre elles mais il leur fallait encore un peu de temps pour trouver leurs marques. D'autant que Giselle avait souffert d'une rupture extrêmement pénible et douloureuse à cause d'elle. Indirectement, certes, mais quand même. Emilio, le fiancé de Giselle, avait cru qu'elle le trompait car il l'avait vue dans une vidéo érotique qui circulait sur internet. Or, c'était Sienna sur les images ; elle avait été filmée à son insu par un inconnu qu'elle avait imprudemment suivi chez lui un soir après une fête bien arrosée. Elle ne se pardonnerait jamais d'avoir causé du tort à Giselle, même sans le vouloir.

Heureusement qu'elle avait croisé cette sœur dont elle ignorait l'existence dans un magasin en Australie. Cela avait permis à cette dernière de rétablir la vérité auprès de son ex, deux ans après leur séparation. Ils allaient prochainement se marier à Rome. Par son inconscience, elle leur avait fait perdre deux précieuses années et un bébé… Elle s'en voulait terriblement.

Malgré tout, Kate avait raison : elle avait besoin d'argent. Avant que Brian ne tombe malade, elle travaillait avec lui comme secrétaire dans son magasin d'antiquités. Mais, après sa mort, ses héritiers avaient repris la boutique et l'avaient licenciée. Avec la crise et la hausse du coût de la vie, les économies que Brian lui avait laissées avaient fondu comme neige au soleil ; son rêve de s'acheter une maison était par conséquent tombé aux oubliettes.

A moins d'un miracle…

Justement, l'argent que lui léguait Guido Ferrante lui permettrait de s'offrir une belle propriété mais aussi, avec des placements judicieux, de vivre confortablement jusqu'à la fin de ses jours. Elle pourrait reprendre son hobby, la photographie, et peut-être en faire une carrière. Ce serait merveilleux d'être connue pour son talent et pas pour ses erreurs ou ses maladresses ! Et elle adorerait renverser les rôles pour se retrouver de l'autre côté de l'objectif au lieu d'être le point de mire.

Elle se mordit la lèvre en réfléchissant aux conditions énoncées dans le testament. Six mois mariée à son pire ennemi… Malgré le prix à payer, la récompense n'en valait-elle pas la peine ? En plus, il ne s'agissait pas nécessairement d'un *vrai* mariage.

Un frisson involontaire la parcourut à l'idée des bras puissamment musclés d'Andreas, de son corps sculptural…

Sienna se sécha les mains, puis attrapa son sac et ses clés.

— Je m'en vais, annonça-t-elle. Je ne sais pas quand je reviendrai, mais je t'enverrai l'argent du loyer.

— Où vas-tu ? lança Kate, déconcertée.

— A Florence.

Son amie en resta bouche bée.

— Tu vas dire oui ? bredouilla-t-elle finalement.

Elle fit la moue, perplexe.

— Je vais probablement vivre les six mois les plus longs de mon existence.

— Pourquoi six mois ? Le mariage dure toute la vie, non ?

— Pas celui-ci.

— Tu ne fais pas tes bagages ? questionna Kate, de plus en plus éberluée. Tu ne peux pas débarquer ainsi, avec un jean déchiré et un vieux T-shirt. Il te faudra une garde-robe bien fournie et un tas d'accessoires.

Sienna passa son sac en bandoulière.

— Si Andreas Ferrante a envie de me voir bien habillée, il a tout à fait les moyens de m'offrir de jolies toilettes !

— Le *signore* Ferrante est en réunion, déclara la réceptionniste. On ne peut pas le déranger.

— Dites-lui que sa fiancée est là, dit Sienna, autoritaire.

La réceptionniste écarquilla de grands yeux étonnés tout en la détaillant des pieds à la tête.

— Je ne sais pas…

— Et que, s'il ne me reçoit pas tout de suite, j'annule le mariage ! la coupa-t-elle.

Indécise quelques secondes, l'employée dut juger son attitude convaincante car elle décrocha son téléphone.

— Il y a ici une jeune femme qui prétend être votre fiancée, dit-elle en italien. Dois-je appeler un agent de sécurité ?

La voix suave d'Andreas parvint jusqu'aux oreilles de Sienna.

— Dites-lui d'attendre à la réception.

Elle s'assit sur le bord de la table et se pencha pour se faire entendre.

— Dépêche-toi, Andreas. Nous avons à parler, toi et moi.

— Laisse-moi dix minutes.

— Tout de suite, ordonna-t-elle.

— *Cara*, tant d'impatience me flatte. Je t'ai donc tant manqué?

Elle plaqua un sourire factice sur ses lèvres.

— Tu n'imagines pas, chéri! Sans toi, je deviens folle. C'est une torture insupportable d'être privée de tes baisers, de tes caresses, de…

— Un peu de discrétion, s'il te plaît, l'interrompit-il sèchement. Entre *immédiatement*.

Sienna se laissa glisser à terre.

— Il est adorable, n'est-ce pas? lança-t-elle à la réceptionniste avec un signe de la main.

La salle de réunion était vide quand Sienna y entra. Andreas avait la mine sombre et une tension orageuse flottait dans l'air.

— C'est quoi, ces manières? lança-t-il sans préambule.

Elle referma la porte bruyamment et lui jeta un regard le plus méprisant possible.

— Apparemment, nous sommes fiancés. Je l'ai appris par le journal.

Il pinça les lèvres et se passa une main dans les cheveux.

— La fuite ne vient pas de moi.

— Oh! Portia devait être terriblement vexée pour oublier ses bonnes manières! ironisa-t-elle.

— Elle est très affectée, et c'est bien normal. Nous devions nous marier.

— Elle a toute ma sympathie.

Il la foudroya du regard.

— Garce.

— Salaud.

Andreas se mit à faire les cent pas.

— Très bien, lâcha-t-il dans un soupir. Faisons un effort. Dans six mois, ce sera terminé. J'ai envisagé la question sous tous les angles. Il n'y a pas moyen de contourner le problème : il faut en passer par ce qu'on nous demande. Nous avons tous les deux beaucoup à y gagner.

Sienna s'assit.

— J'obtiendrai quoi exactement, au bout du compte ?

Il s'immobilisa, les sourcils froncés.

— Une petite fortune, tu le sais.

— Je veux plus.

Andreas serra les mâchoires.

— Combien ?

— Le double.

— Un quart.

— Un tiers, répliqua-t-elle du tac au tac.

Il tapa du poing sur la table et se pencha tout près d'elle. Leurs visages se touchaient presque.

— Va au diable ! Tu n'auras pas un centime de plus. Le contrat est clair et non négociable.

Sienna recula sa chaise et se leva.

— Eh bien, tant pis. Si tu veux vraiment te marier avec moi, il faudra payer le prix fort.

Elle était presque arrivée à la porte quand Andreas répondit :

— Très bien. Je te verserai un tiers de plus que la somme prévue par mon père.

Elle se retourna.

— Tu tiens vraiment beaucoup à ce château.

— Il appartenait à ma mère. Je ferais n'importe quoi pour empêcher qu'il ne tombe entre les mains de mon bon à rien de cousin.

— Tu serais même prêt à m'épouser ?

Il émit un rire sans joie.

— On peut sans doute imaginer des perspectives plus abominables.

— Pas moi. Il ne pourrait rien m'arriver de pire, déclara-t-elle en regagnant sa chaise.

De nouveau, l'air se chargea d'électricité. Sous le regard brûlant d'Andreas, elle se sentait nue et sans défense. D'ailleurs, il l'avait déjà vue nue, ou presque…, songea-t-elle, assaillie par ce souvenir troublant.

Adolescente, elle avait rêvé pendant des mois de lui offrir sa virginité. Dans ses fantasmes, il la sauvait de la triste existence qu'elle avait menée avec sa mère. Sans cesse ballottée, elle ne savait jamais où serait leur prochaine maison, ni dans quelle école elle irait. Son enfance avait ressemblé à un patchwork de lieux et de personnes. Dès qu'elle commençait à se faire des amis et à s'habituer à un nouvel environnement, il fallait déménager. Elle s'était toujours sentie à l'écart, et nulle part chez elle.

Tout avait changé quand sa mère était devenue gouvernante des Ferrante, dans leur villa de Rome. Cette propriété somptueuse, avec des jardins extraordinaires, une piscine immense et un court de tennis, lui avait paru un véritable paradis après la succession d'appartements miteux où elles avaient habité.

Cela avait aussi été la première fois que sa mère semblait heureuse et bien installée. Naturellement, Sienna n'avait pas eu envie que cela se termine. Donc, son esprit immature d'adolescente avait tout planifié : Andreas, l'héritier de la fortune des Ferrante, tomberait amoureux d'elle et l'épouserait. Il était le prince charmant et elle la pauvre Cendrillon, belle mais sans le sou. Qu'importait, leur amour vaincrait tous les obstacles.

Jusqu'à ce fameux soir où elle avait décidé de passer à l'action, Andreas l'avait toujours considérée comme la fille d'une domestique, une enfant terrible, très indisciplinée. Il n'était pas revenu à la maison depuis plusieurs mois et, selon elle, il n'allait pas manquer de noter combien elle avait grandi et embelli. D'ailleurs, pendant le dîner, tandis qu'elle aidait à faire le service, il ne l'avait pas quittée des yeux.

Au *salone*, il avait paru troublé quand elle s'était penchée pour lui verser son café. En effleurant son bras, elle avait senti une sorte de décharge électrique. Non, elle ne s'était pas trompée : il était séduit…

A la fin du service, elle était montée dans la chambre d'Andreas et l'y avait attendu, étendue sur son lit en sous-vêtements, nerveuse et excitée en même temps. Quand il avait ouvert la porte, il avait d'abord marqué un temps d'arrêt, puis son expression s'était fermée sévèrement.

— A quoi joues-tu ? s'était-il écrié avec rudesse. Rhabille-toi et va-t'en tout de suite !

Sienna avait vécu ce rejet comme une humiliation intolérable, d'autant qu'elle ne doutait pas de son désir pour elle. L'atmosphère s'était tendue, érotique soudain — dans son souvenir du moins.

— Je veux faire l'amour avec toi, avait-elle déclaré. Je sais que tu en as envie, toi aussi.

— Tu te trompes, avait répondu Andreas d'une voix crispée. Tu ne m'intéresses pas le moins du monde.

Avec un mélange de hardiesse et d'impulsivité, elle s'était approchée de lui.

— Moi, j'ai envie de toi, Andreas…

Il l'avait saisie par le bras, et la porte s'était ouverte juste à ce moment-là…

Sienna cilla pour refouler ces images surgies du passé. Elle ne voulait pas se remémorer l'horrible scène qui avait eu lieu entre Andreas et son père, ni les mensonges impardonnables qu'elle avait alors proférés. Elle était terrifiée et désespérée à l'idée que sa mère soit renvoyée et perde une place à laquelle elle tenait tant ; les mots étaient sortis tout seuls, en un torrent d'absurdités qu'elle regrettait amèrement depuis. Suite à cet incident, Andreas n'avait jamais remis les pieds dans cette maison, pas même à l'époque de la maladie de sa mère.

— Il y a des détails pratiques à régler, déclara Andreas, la tirant de ses pensées.

Elle releva les yeux ; il la fixait durement.

— Lesquels ?

— Si nous devons vivre ensemble comme mari et femme, tu seras obligée de dormir sous le même toit que moi.

Elle se leva d'un bond.

— Il n'en est pas question !

Il roula des yeux comme s'il avait affaire à une idiote.

— Je n'ai pas dit dans le même lit. Mais nous devrons habiter ensemble pour donner le change.

— C'est-à-dire ?

— Faire comme si nous étions amoureux.

— As-tu perdu la tête ? C'est impossible ! Tout le monde sait que je te déteste.

— C'est réciproque. Mais il ne s'agit que de six mois et uniquement en public. En privé, nous nous battrons dans un corps à corps sans pitié, plaisanta-t-il.

Elle se détourna en rougissant, puis se ressaisit.

— Quand devrons-nous… officialiser la situation ?

— Le plus tôt sera le mieux. J'ai déjà rempli un formulaire auprès des services de la mairie. La réponse ne devrait pas tarder.

— Quel genre de cérémonie as-tu prévue ?

— Tu ne tiens sûrement pas à te marier à l'église en robe blanche ?

— Pourquoi pas ? protesta-t-elle insolemment.

— De toute façon, tu as déjà été mariée. A un homme

assez âgé pour être ton grand-père, ajouta-t-il d'un air dégoûté.

Sienna redressa le menton, outragée.

— Je l'aimais !

— Tu étais surtout intéressée, lança-t-il avec mépris. En a-t-il eu pour son argent ?

— Tu voudrais peut-être des détails ? répliqua-t-elle avec effronterie.

Il s'éloigna rageusement en fourrant les mains dans ses poches. Sienna était ravie de l'avoir fait sortir de ses gonds. Cet homme si mesuré et si parfaitement maître de lui-même avait néanmoins des faiblesses. Viril, foncièrement machiste de tempérament, il avait besoin de la dominer et ne supportait pas qu'elle lui tienne tête. Elle frissonna à la pensée qu'il puisse un jour lui arracher sa soumission.

En tout cas, elle se défendrait bec et ongles.

Andreas s'obligea à respirer calmement. Sienna le provoquait délibérément. Mais pourquoi diable cette femme produisait-elle autant d'effet sur lui ? Il n'était pourtant pas esclave de ses sens, contrairement à son père, qui avait trompé son épouse pour coucher avec une vulgaire domestique.

Il s'enorgueillissait d'un *self-control* à toute épreuve. Il avait les besoins normaux d'un homme de son âge mais choisissait ses partenaires avec soin. Elles avaient de la classe et de la distinction. Il ne perdait jamais la tête.

Cependant, Sienna Baker avait quelque chose de particulier, d'indéfinissable, qui l'enflammait littéralement. Auprès d'elle, il se sentait comme un animal sauvage, incapable de résister à ses pulsions.

Et, pour corser la situation, elle le narguait comme un fruit défendu.

C'était sans nul doute ce qui avait poussé son père à lui tendre ce piège : Guido avait compris quelle tentation Sienna exerçait sur lui, depuis toujours. Il ne pouvait y avoir pour lui pire châtiment que de la côtoyer jour après jour. Pour lui infliger un tel supplice, son père l'avait-il donc haï à ce point ?

Sienna s'était rassise, les bras croisés, les jambes à demi repliées appuyées contre le rebord de la table. Il lui fit face. Incorrigiblement rebelle et capricieuse, elle ne respectait aucune forme d'autorité. Sa nature fantasque pouvait passer du rire aux larmes en l'espace de quelques secondes, ou de l'innocence ingénue à la séduction voluptueuse.

Il ne savait pas du tout comment il réussirait à se sortir de ce pétrin, mais il se promit d'y arriver, dût-il pour cela coucher avec elle pour se débarrasser une fois pour toutes de son obsession.

Son sang se figea dans ses veines à cette idée, puis bouillonna soudain.

— A quel hôtel es-tu descendue ? demanda-t-il d'une voix étranglée.

— Je ne sais pas encore. J'arrive de l'aéroport.

— Où sont tes bagages ?

— Je n'en ai pas. Je te laisse le soin de me confectionner une garde-robe parce que la mienne ne te convient certainement pas.

— Tu es venue les mains dans les poches ? demanda-t-il, incrédule.

Elle le toisa d'un air de défi.

— Pour bien jouer mon rôle, il me faut les vêtements adéquats. Mais je n'ai pas les moyens de me les acheter. Toi, si.

— Cela ne me pose pas de problème particulier, mais c'est assez inhabituel pour une jeune femme de ton âge de voyager aussi légèrement.

— Je n'ai pas besoin de grand-chose.

— J'en doute, marmonna-t-il.

Elle reposa ses jambes dans un mouvement à la fois gracieux et plein de fougue.

— Il faut me loger quelque part en attendant que nos relations s'officialisent. Un hôtel cinq étoiles fera l'affaire.

— Tu peux habiter chez moi, à la villa, répondit-il en griffonnant son adresse sur un bout de papier. De cette façon, je pourrai te surveiller.

— Tu as peur que je parle aux journalistes, comme l'a fait ton ex-fiancée ? lança-t-elle avec un sourire insolent.

— Nous n'en étions pas tout à fait à ce stade, même si j'avais déjà acheté la bague. Tu peux d'ailleurs l'emprunter, si tu veux.

— Non, merci. J'en veux une à moi.

Andreas s'approcha d'elle. En traversant une ligne invisible, il pénétra dans un champ magnétique à la puissance extraordinaire. Le parfum de Sienna, un mélange de fleurs et de senteurs d'été, provoqua aussitôt une sorte d'ivresse dans sa chair. Il était si près qu'il distinguait les taches de rousseur sur son petit nez retroussé et une minuscule cicatrice au-dessus de son sourcil gauche. Involontairement, ses yeux se posèrent sur sa bouche. Quand elle se passa le bout de la langue sur les lèvres, il dut faire un effort pour ne pas lui sauter dessus.

— Tu prends cela comme un jeu, n'est-ce pas ? dit-il entre ses dents serrées.

Une étincelle s'alluma dans les yeux gris-bleu de Sienna.

— Tu allais m'embrasser, non ?

— J'ai plutôt envie de t'étrangler, répondit-il en grimaçant.

— Ne t'avise pas de me toucher, lança-t-elle sur un ton menaçant.

Andreas ne se souvenait pas d'avoir jamais éprouvé un désir aussi fort.

— Disparais hors de ma vue ! lança-t-il, irrité et excité à la fois.

Elle releva le menton.

— On dit : « S'il te plaît. »

— Sors ! Immédiatement !

Elle rejeta en arrière sa longue chevelure blonde.

— Je vais avoir besoin d'une clé, si je loge chez toi.

— La gouvernante t'ouvrira. Je vais l'appeler pour lui donner mes instructions.

— Que comptes-tu dire à tes domestiques ?

— Je n'ai pas l'habitude de leur faire de confidences. A leurs yeux, ce sera un mariage parfaitement normal et conventionnel.

— Même si nous ne faisons pas chambre commune ?

Comme à chacune des provocations de Sienna, Andreas éprouva un coup au cœur. Rien ne lui semblait plus tentant que de dormir avec les jambes de cette furie enroulées autour des siennes. Pourquoi n'assouvirait-il pas le désir qui le consumait depuis si longtemps ? Il posséderait cette femme une fois pour toutes. Et dans six mois, lorsqu'il la quitterait, il aurait enfin l'esprit libéré.

— C'est tout à fait banal pour un couple marié d'occuper des suites séparées dans une villa aussi grande que la mienne.

Il sortit une carte de crédit de son portefeuille.

— Tiens, va faire du shopping. Et ne m'attends pas ce soir pour dîner, je rentrerai tard.

Elle rangea la carte dans son sac. Andreas retint sa respiration quand elle passa devant lui en le frôlant. Sur le seuil, elle se retourna.

— Sais-tu pourquoi ton père a fait une chose pareille ?

— Je n'en ai pas la moindre idée.

Elle se mordit la lèvre tandis qu'une ombre voilait son regard.

— Il devait me détester…, lâcha-t-elle.

Pour la première fois, Andreas avait perçu en elle de la sincérité, une tristesse non feinte.

— Tu n'es pas en cause. Il s'agit de moi. Nous nous haïssions farouchement, mon père et moi.

Un silence tomba entre eux.

— Je ferais bien de me dépêcher, déclara enfin Sienna avec un sourire forcé. J'ai tant de choses à acheter ! *Ciao.*

Elle sortit en coup de vent. Andreas s'appuya un instant contre la porte refermée en poussant un long soupir. Cette demi-heure avec Sienna l'avait épuisé. Il avait l'impression d'avoir affronté un ouragan.

Comment allait-il la supporter pendant six mois ?

3.

Après son shopping, Sienna prit un taxi pour se rendre au domaine toscan d'Andreas. La villa de style Renaissance se trouvait à quelques kilomètres à l'extérieur de Florence, dans les célèbres vignobles de Chianti. Le soleil de fin d'après-midi jetait une lumière douce sur les collines. Dans la propriété, de magnifiques massifs de fleurs, disposés avec goût, composaient un tableau aux mille couleurs. Andreas vivait dans un environnement luxueux. Même s'il s'était forgé lui-même une réussite exceptionnelle dans le domaine du design, la richesse lui avait été donnée d'emblée, dès l'enfance. Jamais il n'avait eu à s'inquiéter au sujet de factures impayées ou de fins de mois difficiles. Sienna ne pouvait s'empêcher de se sentir un peu jalouse. Pourquoi donc se souciait-il du château de sa mère en Provence alors qu'il avait déjà tout ?

L'idée de posséder pareille demeure la fascinait. Cela valait peut-être la peine de mettre tout en œuvre pour y parvenir. En décidant par exemple de rendre la vie infernale à Andreas, elle l'obligerait à se déclarer forfait et deviendrait de facto maîtresse des lieux. C'était d'autant plus tentant qu'il avait déjà des maisons partout, de La Barbade jusqu'en Espagne. Il ne serait pas à la rue s'il perdait le château de Chalvy…

Une femme d'allure ronde et maternelle accueillit

Sienna sur le perron et se présenta comme étant Elena, la gouvernante.

— Le *signore* Ferrante m'a prévenue de votre arrivée. Je vous ai préparé la suite rose, juste à côté de la sienne, ajouta-t-elle avec un petit clin d'œil.

Sienna se força à sourire.

— C'est très gentil à vous.

— C'est bien naturel. Moi aussi, j'ai été jeune et follement amoureuse. L'autre ne convenait pas au *signore* Ferrante. Je savais qu'il changerait d'avis.

— Euh… Quelle « autre » ? répéta-t-elle avec un froncement de sourcils.

— La princesse Portia. Elle n'était jamais contente et se plaignait continuellement. Elle n'aimait pas la viande rouge, ni le fromage. Elle chipotait en permanence.

— Elle suivait peut-être un régime, suggéra Sienna.

— Elle n'était pas pour lui, insista Elena. Le *signore* Ferrante a besoin d'une femme passionnée.

Manifestement, la gouvernante avait perçu son tempérament de feu et la croyait follement amoureuse. Elle était bien loin de la vérité… Car Sienna haïssait Andreas. Même si, physiquement, il la troublait d'une manière très dérangeante.

— Vous semblez bien le connaître, dit-elle.

Elena sourit.

— C'est un homme bon, généreux et travailleur. Dès qu'il le peut, il donne un coup de main à la vigne ou dans les vergers. Votre *mamma* travaillait chez ses parents, non ? Je l'ai lu dans les journaux.

— *Sì*. J'avais quatorze ans quand elle a été engagée. Andreas ne vivait déjà plus dans sa famille, mais nous nous rencontrions de temps en temps.

— Je vois la flamme briller dans vos yeux, remarqua Elena. Il sera heureux, avec vous. Vous ferez de beaux bébés ensemble, *sì* ?

36

Sienna rougit.

— Nous n'avons pas encore abordé le sujet. Cette histoire est un véritable tourbillon.

— Venez, je vais vous faire visiter votre nouvelle maison, déclara Elena avec une autorité pleine de bienveillance. Vous avez sûrement envie de vous installer avant le retour du *signore* Ferrante.

La villa était immense, avec une telle multitude de suites et de salons que Sienna pouvait bien y vivre pendant plus de six mois sans être obligée de croiser Andreas.

— Je vous laisse prendre une douche et vous changer, dit Elena à la fin de la visite. Je vais m'occuper du dîner avant de partir.

— Vous ne logez pas ici ?

— Non, j'habite dans la ferme à côté de l'oliveraie. Mon mari, Franco, travaille aussi pour la famille Ferrante. Si vous avez besoin de quoi que ce soit, vous pouvez me téléphoner. Je serai là demain matin vers 10 heures.

Sienna n'avait pas prévu de se retrouver complètement seule avec Andreas. Pouvait-elle lui faire confiance ? Saurait-il garder ses distances ? Entre eux, l'alchimie sexuelle, vivace, était prête à se ranimer à tout moment. La scène de tout à l'heure, dans la salle de réunion, avait prouvé qu'un dérapage pouvait surgir n'importe quand. Pour l'instant, elle arrivait à sauver les apparences et à faire bonne figure, mais combien de temps tiendrait-elle ? Il suffisait à Andreas de la regarder d'une certaine façon pour l'embraser littéralement de désir.

Quelle ironie ! Car même si elle avait beaucoup fait la fête à une époque, le sexe n'avait jamais tenu une grande place dans sa vie. Après le malheureux épisode avec Andreas, elle était restée plusieurs mois sans avoir envie d'une relation sentimentale. Puis elle avait connu deux histoires assez brèves avec des jeunes gens de son âge. Ensuite, après l'horrible nuit où elle s'était retrouvée dans le lit d'un inconnu, elle s'était enfermée dans un mariage de pure convenance. L'épisode honteux de la vidéo postée sur la Toile avait renforcé sa réputation de fêtarde — ce dont elle se moquait éperdument, même si elle avait parfois envie, maintenant, de rétablir la vérité.

Après avoir rangé ses achats et s'être changée, Sienna descendit au rez-de-chaussée. Un peu nerveuse et irritable, elle grignota sans appétit et se servit un verre de vin. Elle aurait peut-être dû réfléchir avant de se lancer dans cette aventure. Ce n'était pas la première fois que sa nature impulsive lui jouait des tours. Etait-il trop tard pour reculer ?

Mais les considérations pécuniaires l'aidèrent à s'éclaircir les idées. Pourquoi hésitait-elle, tout à coup ? Il fallait envisager la situation sous un autre angle : elle avait un contrat de six mois à honorer et, une fois la corvée accomplie, elle serait largement dédommagée de ses peines.

Après tout, pourquoi serait-elle éternellement vouée à être le jouet de circonstances difficiles ou incontrôlables ? Etait-ce sa faute si sa mère l'avait gardée en choisissant de se séparer de sa sœur ?

Elle se mordilla la lèvre. Elle ne pouvait pas s'empêcher d'être un peu jalouse de Giselle, qui avait grandi dans un milieu favorisé et bénéficié d'une excellente éducation. Elle n'avait pas eu à supporter, comme elle, des déménagements incessants à cause de l'instabilité professionnelle de leur mère. Et elle avait eu un père pour veiller sur elle et la protéger.

De son côté, elle avait très vite été obligée de devenir autonome, d'apprendre à ne compter que sur elle-même, sans faire confiance à personne et en songeant avant tout à tirer son épingle du jeu.

La conduite à tenir aujourd'hui était la même. Il fallait profiter au maximum de la situation étrange qu'on lui imposait. Ensuite, après avoir soutiré le maximum d'argent à Andreas, elle disparaîtrait de sa vie.

Pour toujours.

Sienna se versait un second verre de vin quand elle entendit une voiture arriver. Aussitôt, une boule se forma dans son ventre. En fait, elle en voulait à ce fils de famille d'être né avec une cuillère en argent dans la bouche. Il n'avait jamais eu à faire son lit ni à beurrer ses toasts. Il mangeait depuis toujours dans de la porcelaine signée et buvait dans des verres en cristal. Il possédait tout ce que l'argent pouvait acheter.

C'étaient autant de raisons supplémentaires de le détester...

Lorsque Andreas entra dans le salon qui jouxtait le vestibule, Sienna était vautrée sur le canapé, un verre de vin à la main et la télécommande de la télévision dans l'autre. Elle avait relevé ses cheveux en queue-de-cheval ; elle portait un long caleçon noir et un T-shirt fuchsia dont une bretelle avait glissé sur son épaule bronzée. Nu-pieds, elle balançait ses jambes d'avant en arrière dans une attitude nonchalante et terriblement sexy.

— Tu as passé une bonne journée ? s'enquit-elle sans détacher son regard de l'écran.

Il desserra son nœud de cravate, ôta sa veste et la jeta à l'autre bout du canapé.

— Relativement. Et toi, tu prends tes aises ?

— Je m'éclate ! Ton vin est délicieux. Et j'adore ta gouvernante. Nous sommes déjà les meilleures amies du monde.

— Tu n'es pas censée avoir ce genre de relation avec les domestiques, observa-t-il en fronçant les sourcils.

Elle éteignit le son de la télévision et se mit en position assise.

— Pourquoi ?

— Les employés reçoivent un salaire en échange de leur travail. On ne leur demande rien d'autre.

Sienna se leva et s'approcha en balançant ses hanches d'une manière irrésistiblement sensuelle, une lueur provocante au fond des yeux. Il faillit l'attirer contre lui mais préféra se maîtriser. Il la posséderait le jour où il le déciderait, et non parce qu'elle le manipulait.

— Tu as mangé ? demanda-t-elle.

— Tu t'exerces à remplir tes devoirs d'épouse parfaite ?

Elle haussa les épaules avec une moue de coquetterie.

— J'essaie juste de me rendre utile. Tu as l'air fatigué.

— Sans doute parce que j'ai à peine fermé l'œil depuis la lecture du testament de mon père.

Il se dirigea vers le bar et se servit un verre à la bouteille entamée par Sienna.

— J'ai déjà obtenu la licence de mariage, ajouta-t-il, grâce à l'intervention d'un ami haut placé. Nous pouvons nous marier dès vendredi.

L'espace d'une seconde, elle accusa le coup ; cependant, elle retrouva vite tout son aplomb.

— Quelle efficacité !

— Inutile de faire traîner les choses. Plus tôt nous nous marions, plus tôt nous pourrons divorcer.

— Tu as tout calculé.

Il plissa les yeux.

— Evidemment.

— Qu'as-tu dit à Elena ? demanda Sienna.

— Rien, à part que j'allais t'épouser le plus vite possible.

— Elle est persuadée que nous sommes follement amoureux.

— C'est généralement le cas quand deux personnes se marient.

Un petit silence tomba, que Sienna rompit rapidement :

— Tu étais amoureux de Portia Briscoe?

— Pourquoi me demandes-tu cela?

Elle pencha la tête de côté en se tapotant les lèvres du bout de l'index.

— Non, je ne crois pas…, dit-elle comme si elle réfléchissait à voix haute. Elle remplissait simplement toutes les conditions pour faire une bonne épouse. Elle est issue d'un milieu fortuné, connaît les bons usages et s'habille à la perfection. De plus, elle se tient bien en société et ne commet jamais d'impairs. Mais quant à inspirer de la passion… Non, certainement pas.

— Cela te va bien de pérorer sur l'amour! Tu n'étais pas très amoureuse de Brian Littlemore quand tu l'as épousé. Très peu de temps après le décès de sa femme, d'ailleurs. Et tu le connaissais à peine.

— Détrompe-toi, nous étions amis depuis longtemps.

— Amis ou amants? Il te payait cher? Mais tu te refusais peut-être délibérément, pour rendre fou ce pauvre homme et l'obliger à t'épouser…

Sienna lui lança un regard venimeux.

— Tu es immonde! Du haut de ta tour d'ivoire, tu te permets de porter des jugements sur des gens dont tu ignores tout. Brian était quelqu'un d'extrêmement généreux, avec une bonté immense. Toi, tu as une pierre à la place du cœur.

Posément, Andreas but une gorgée de vin.

— Ta loyauté envers ton défunt mari est touchante, ma chérie. Mais serais-tu aussi charitable si tu étais au courant de la double vie qu'il a menée pendant tout le temps que vous étiez ensemble?

Elle battit nerveusement des paupières avant de détourner ses yeux adorables.

— Nous avions opté pour un mariage libre, déclara-t-elle. Nous étions simplement tenus à la discrétion.

Andreas se demanda s'il avait eu raison de se montrer

aussi brutal. La liaison de Brian Littlemore n'avait jamais été ébruitée dans la presse, et il tenait lui-même cette information de seconde main. Quoi qu'il en soit, Sienna ne semblait pas vraiment bouleversée — ou alors elle le cachait bien.

— Tu le savais ? insista-t-il.

— Quoi ?

— Pour sa maîtresse ?

Elle émit un petit rire curieusement déplacé, presque comme si elle se sentait… soulagée.

— Oui, bien sûr, depuis le début.

— Mais, tu as quand même épousé Littlemore ? poursuivit-il, perplexe.

Elle lui fit face avec une expression de franchise exaspérante.

— Je l'ai fait pour l'argent. Exactement comme avec toi.

Andreas crispa les poings, soudain furieux. Quel sans-gêne ! N'éprouvait-elle donc aucune honte ? N'avait-elle aucun respect pour elle-même ? Avec son manque total de sens des convenances, elle allait le tourner en ridicule pendant toute la durée de leur mariage ! Aussi égoïste et opportuniste que lorsqu'elle était adolescente, elle s'efforcerait de profiter au maximum de la situation, il n'en doutait pas.

— Puisque tu abordes la question, j'aimerais clarifier quelques points, déclara-t-il. Je ne tolérerai aucun écart de conduite de ta part, aucune déclaration qui puisse suggérer qu'il s'agit d'un arrangement et non d'un vrai mariage. Si tu ne te comportes pas correctement, il y aura des représailles. Est-ce clair ?

— Tout à fait, répondit-elle avec un regard de collégienne effrontée.

— Deuxièmement, je ne veux pas passer pour un imbécile à cause de tes mœurs légères. Donc, pas de photos dénudées et pas non plus de vidéos scandaleuses postées sur les réseaux sociaux. C'est compris ?

Elle rougit violemment au rappel de l'incident survenu deux ans auparavant, et qui avait injustement éclaboussé la réputation de sa sœur jumelle. En voyage à l'étranger à l'époque, Andreas n'avait pas suivi l'affaire ; à la lecture de récits parus récemment dans la presse, il se demandait pourquoi Sienna ne s'était pas manifestée pour rétablir la vérité. Totalement irresponsable, elle ne se souciait pas le moins du monde des répercussions que ses actes répréhensibles ou immoraux avaient sur les autres.

— Je ne commettrai pas de bourdes, affirma-t-elle avec raideur.

— Je l'espère.

Elle vida son verre et le posa maladroitement sur la table basse.

— C'est tout ? demanda-t-elle avec une douceur surprenante.

Comment parvenait-elle à changer de registre aussi facilement ? Andreas avait presque l'impression d'avoir exagéré et dépassé les limites.

— Si cela peut te consoler, dit-il, je tâcherai moi-même de sauver les apparences pour ne rien compromettre. Après tout, il s'agit seulement de six mois. Un peu de célibat est supposé aiguiser l'intellect et redonner de l'énergie à l'âme.

Elle esquissa un sourire.

— Tu tiendras le coup ?

Elle était diablement séduisante… Andreas se demanda une nouvelle fois s'il était prêt à relever le pari.

— Nous verrons bien.

Elle s'efforça de ne pas broncher pendant qu'il la détaillait de pied en cap, mais il perçut un très léger frisson sur son épaule dénudée.

Il remplit de nouveau son verre.

— Au fait, je compte sur toi pour t'acheter une toilette élégante pour le mariage. Même si tu es ravissante en caleçon de yoga ou en jean délavé, je doute que tu réussisses à lancer une nouvelle ligne de vêtements de cérémonie.

Sienna haussa les sourcils.

— Mon Dieu ! Ai-je bien entendu ? Un compliment de la bouche du *signore* Ferrante ? le taquina-t-elle.

— Ne sois pas ridicule, protesta-t-il, agacé. C'est déjà arrivé.

Elle croisa les bras avec une expression de scepticisme absolu.

— Quand cela ?

Il se frotta la nuque en fouillant dans ses souvenirs.

— Tu avais seize ans et tu partais à ton cours de danse, avec une robe à volants rose et blanc.

Sienna lui jeta un regard dépité.

— Tu m'as dit que je ressemblais à un cupcake !

— Vraiment ? fit-il sans pouvoir s'empêcher de sourire.

— Oui.

— Probablement parce que tu étais jolie à croquer !

L'air se chargea tout à coup d'une tension presque palpable. Andreas fut instinctivement sur ses gardes.

— Le sucre n'est pas bon du tout pour la santé, railla Sienna.

— Une fois de temps en temps, cela ne fait pas de mal.

— Si on est sûr de pouvoir s'arrêter. Parfois, on commence par manger un carré de chocolat et on finit la tablette sans s'en apercevoir.

De nouveau, Andreas détailla sa superbe silhouette.

— Si j'en crois les formes que j'ai sous les yeux, tu ne fais pas partie de ces gens-là.

— J'ai hérité d'un bon patrimoine génétique, répliqua Sienna d'un ton léger.

Mais elle avait légèrement rougi, cela ne lui avait pas échappé.

— A propos, que vas-tu dire à ta sœur, au sujet de notre arrangement ? demanda-t-il.

Elle hésita un instant.

— Je suis gênée de lui mentir, mais il vaut mieux nous en tenir au scénario officiel.

— Nous devrions peaufiner quelques détails pour le rendre crédible. Expliquer notre coup de foudre, par exemple.

— Personne ne croira jamais que tu es tombé amoureux de moi, objecta Sienna. Tu n'as strictement rien en commun avec une traîne-misère comme moi. Les hommes de ton envergure ne s'amourachent pas de la fille d'une vulgaire femme de ménage. Cela n'arrive que dans les contes de fées, pas dans la vraie vie.

— Tu es dure avec toi-même. Je n'ai jamais employé ce genre de termes.

— Tu n'as pas besoin de le dire, je le lis dans tes yeux.

Andreas plissa le front, envahi par le remords à la pensée de tout ce qu'il avait pu raconter.

— Ecoute, Sienna, nous avons l'un et l'autre des ressentiments. Mais je suis prêt à mettre notre histoire passée de côté pour traverser le plus sereinement possible les six mois à venir.

Elle se mordit la lèvre avec une curieuse expression enfantine.

— Tu veux dire que tu me pardonnes ?

— Je n'irai pas jusque-là. Ce que tu as fait est impardonnable.

— Oui, je sais…

Dans un sursaut de lucidité, Andreas s'interdit de se laisser convaincre par ses airs de sainte-nitouche. L'arriviste était à l'œuvre derrière la façade. Elle avait sans doute habilement manœuvré Guido pour lui faire rédiger son étrange testament, mais cela ne marcherait pas avec lui.

Il ramassa sa veste.

— Je ne vais pas être très disponible d'ici à vendredi.

— Parfait !

— Tâche de ne pas faire de bêtises, d'accord ?

Elle ne répondit pas mais lui décocha un regard qui lui donna *à lui* l'envie de faire des bêtises. Avec elle.

4.

Quand Sienna descendit le lendemain matin après sa douche, il n'y avait aucun signe d'Andreas. Comme Elena n'était pas encore arrivée, elle se fit une tasse de thé et sortit sur une terrasse couverte de glycine pour s'asseoir au soleil, devant l'admirable paysage. Saisie par la beauté du lieu, elle contempla les mille et une nuances de verts tout en humant les parfums délicats qui flottaient dans l'air.

Quand elle eut fini son thé, elle alla chercher son appareil photo dans son sac, un petit compact dont la technologie très perfectionnée lui permettait de faire des clichés de grande qualité. Le nez au vent, elle partit explorer les jardins.

Elle observait un oiseau perché dans un buisson quand un chien attira son attention. Il était certainement affamé, à en juger par son allure efflanquée. Enroulant la dragonne de son appareil autour de son poignet, elle s'approcha de lui.

— Viens, le chien, viens dire bonjour.

Sur ses gardes, l'animal se hérissa. Elle lui tendit la main et il la renifla finalement en remuant la queue.

— Bon chien, je ne te ferai pas de mal.

Juste comme elle s'apprêtait à examiner son collier, un bruit effraya la bête, qui s'enfuit dans les fourrés.

— Imprudente ! lança Andreas. Tu as failli te faire

mordre. C'est un chien errant. Franco devait déjà nous en débarrasser la semaine dernière.

Sienna se releva.

— Il doit appartenir à quelqu'un puisqu'il porte un collier. Il s'est peut-être perdu.

— C'est un vulgaire bâtard couvert de puces.

Cette remarque la mit en colère.

— Il faut sans doute un pedigree irréprochable pour fouler le sol de ta propriété ? Quel snob imbuvable tu fais !

Elle tournait les talons pour se diriger vers la villa quand il la rattrapa par le bras.

— Tu ne devrais pas marcher pieds nus. As-tu perdu la tête ? Tu risques de te blesser !

Elle essaya de se dégager, mais Andreas ne lâcha pas prise. L'atmosphère s'alourdit brusquement pendant qu'ils se toisaient. Puis, quand les yeux d'Andreas se posèrent sur ses lèvres, elle frémit en respirant son odeur virile. Avec sa barbe naissante et ses cheveux en bataille, il avait l'air terriblement sexy. Percevait-il son trouble ? Etait-ce la raison pour laquelle il la regardait ainsi ?

— Qu'est-ce que cela peut te faire ? s'écria-t-elle. Tu serais bien débarrassé si je mourais.

Il plissa le front.

— Quelle idée bizarre ! Pourquoi dis-tu cela ?

— Tu hériterais automatiquement du château, sans avoir à supporter un mariage avec une femme que tu détestes.

— C'est réciproque, non ? A moins que tu ne dissimules une affection secrète à mon égard ?

— Tu plaisantes !

Il la serra contre lui avec rudesse et elle perçut avec un choc la chaleur de son désir.

— Tu aimes exciter et provoquer, *cara*, n'est-ce pas ? C'est comme une drogue pour toi, ce pouvoir que tu as sur les hommes. Je le vois à la lueur sensuelle qui brille dans tes yeux. Tu as envie de me voir à tes pieds. Mais cela n'arrivera pas. Je ne te laisserai pas jouer les séductrices. C'est toi qui céderas, pas moi.

Elle le repoussa en posant les mains sur son torse, mais ne réussit ce faisant qu'à intensifier le contact des cuisses d'Andreas sur son bassin. Des étincelles crépitèrent, comme si l'air se chargeait d'électricité. Des ondes de chaleur coururent sur sa peau et les battements de son cœur s'accélérèrent. En elle, quelque chose se contracta puis se relâcha, plusieurs fois, comme la pulsation d'un désir primitif.

Allait-il l'embrasser ? Elle s'humecta les lèvres du bout de la langue en essayant de deviner le goût des siennes. Serait-il doux ou brutal ? Délicat ou violent ?

— Va au diable, maugréa Andreas en la lâchant.

Elle expira longuement en le regardant s'éloigner. La tête lui tournait et elle avait les jambes en coton. Agitée de frissons, elle massa son poignet à l'endroit où les doigts d'Andreas avaient laissé une marque rouge.

Elle était aux prises avec un sérieux problème…

Les cloches qui sonnaient l'angélus résonnaient dans la campagne paisible, mais l'humeur de Sienna était bien loin de s'accorder avec la sérénité ambiante. Elle n'avait pas revu Andreas de la semaine. Leur mariage était prévu pour le lendemain. Apparemment, ses affaires avaient réclamé son futur époux à Milan, mais peut-être avait-il tout simplement préféré garder le plus longtemps possible ses distances avec elle.

Les journées étaient passées très vite, parsemées de quelques coups de fil de Giselle et de Kate. Sienna avait réussi à convaincre sa sœur qu'elle était très amoureuse d'Andreas et qu'ils avaient précipité leur mariage, en choisissant la simplicité et la discrétion pour éviter le harcèlement des paparazzis.

Kate, elle, savait de quoi il retournait. Mais comme elle était incorrigiblement romantique, sa colocataire londonienne ne doutait pas que l'amour s'en mêle et qu'Andreas et elle finiraient leur vie ensemble. Sienna ne tenta même pas de la dissuader. Elle avait abandonné depuis longtemps son rêve de voir Andreas tomber amoureux d'elle. Et même s'il décidait un jour de la pardonner, elle avait banni impitoyablement et à tout jamais ses propres sentiments pour lui.

Elle était allée en ville deux fois sous l'escorte de Franco, qui avait porté obligeamment ses paquets et l'avait attendue patiemment dans la voiture pendant qu'elle passait l'après-midi dans un salon de beauté. Elle avait également dû se rendre chez le notaire pour signer le contrat prénuptial. Etant donné l'étendue de la fortune d'Andreas, elle avait parfaitement compris qu'il veille à protéger ses intérêts…

Elle avait également passé du temps à apprivoiser le chien errant qu'elle avait retrouvé dans les jardins. Elle l'avait baptisé Scraps. Il acceptait maintenant de la nourriture, même s'il ne se laissait pas encore caresser. Elle s'était armée de patience et avait fait promettre à Franco de ne pas se débarrasser de lui, en dépit des instructions d'Andreas.

Sienna tourna la tête lorsque le vrombissement du cabriolet d'Andreas se fit entendre. Elle le regarda mettre pied à terre avec appréhension. Il avait desserré son nœud de cravate et retroussé ses manches de chemise ; il portait sa veste de costume sur l'épaule, accrochée à un doigt.

Il détailla son short et son T-shirt, en s'attardant sur la rondeur de sa poitrine. Puis ils cheminèrent côte à côte jusqu'à la villa.

— Comment s'est passée ta semaine ? s'enquit-il.

— Très bien. J'ai encore dévalisé quelques boutiques ! Franco a été ravi de me servir de chauffeur, je crois. Tu devrais lui offrir un uniforme et une casquette, plaisanta-t-elle.

— Elena m'a dit que tu avais un nouvel adorateur ?

— Oh ! elle veut sans doute parler de Scraps. Je viens de l'enfermer dans la remise pour la nuit. Je l'apprivoise petit à petit.

Andreas referma la porte et posa ses clés sur une console en marbre dans le vestibule.

— Je t'ai commandé une voiture. Tu l'auras la semaine prochaine.

— J'espère que c'est un coupé sport de marque italienne, observa-t-elle avec une pointe d'insolence. Toutes mes amies seront folles de jalousie. C'est le symbole même de la réussite sociale.

Il lui lança un regard moqueur et se dirigea vers le bar, dans le grand *salone*, pour se servir à boire.

— Et moi, j'espère que tu la conduiras raisonnablement. Mais, au vu de ton comportement en général irresponsable, j'ai quelques craintes.

— Je n'ai jamais eu d'accident ni d'amende pour excès de vitesse, répliqua-t-elle en le suivant. En revanche, je ne pourrais pas en dire autant pour le stationnement.

— Aurais-tu tendance à dépasser le laps de temps autorisé ? Tu m'inquiètes.

— Si tu as peur que je m'éternise au-delà des six mois convenus, je te rassure tout de suite : je ne resterai pas une minute de plus !

Le regard vert d'Andreas s'assombrit.

— Tout ira bien tant que nous respectons l'un et l'autre les termes de notre engagement, déclara-t-il. Je ne veux pas de complications. Malheureusement, *cara*, avec toi, on n'est jamais sûr de rien.

Vexée, Sienna dut cependant convenir *in petto* qu'il

n'avait pas tort. Alors que la plupart des gens menaient des existences sans histoires, elle semblait collectionner les embrouilles, comme si une malédiction pesait sur elle depuis sa naissance. Ce qui était peut-être d'ailleurs le cas, finalement… Elle était née hors mariage d'un père qui avait rompu sans ménagement avec sa mère en emmenant un de leurs deux bébés avec lui, et en achetant son silence avec de l'argent. Comme départ dans l'existence, on pouvait faire mieux, non ?

Comme Andreas continuait à la fixer, elle réagit.

— Vas-tu m'offrir quelque chose à boire ou dois-je me servir moi-même ?

— Excuse-moi. Que désires-tu ?

— Du vin blanc de ta propriété. C'est celui que je préfère.

Il lui tendit un verre et fronça les sourcils en remarquant un bleu sur son bras.

— Que t'est-il arrivé ?

— Ce n'est rien.

Mais il insista pour observer de près son poignet.

— C'est moi qui t'ai fait cela ? demanda-t-il, visiblement choqué.

— J'ai une peau qui marque très facilement, ce n'est pas grave.

Il passa le pouce dessus, très doucement.

— Pardonne-moi, murmura-t-il d'une voix presque tendre.

Peu habituée à de tels égards, Sienna sentit ses défenses s'écrouler sans pouvoir rien faire. Elle fondit.

— Non, souffla-t-elle sur un ton implorant quand il porta son poignet à ses lèvres.

Il l'effleura à peine, mais cela suffit pour déclencher de délicieux picotements qui remontèrent jusqu'à la racine de ses cheveux.

— Cela ne se reproduira pas, je te le promets, déclara-t-il. Sois sans crainte.

— Merci, répondit-elle en souriant avec impertinence pour cacher sa vulnérabilité. Mais je n'ai jamais eu peur de toi.

— C'est vrai.

Sienna but une gorgée de vin, gênée par son regard insistant.

— Nous ne partirons pas en lune de miel, j'imagine…

— Au contraire. Pourquoi ne pas saisir l'occasion pour aller en Provence ? Il y a quelques années, mon père a engagé un couple de gardiens pour s'occuper du château de Chalvy. Je verrai comment ils tiennent la propriété.

— Tu pourrais y aller seul. Tu n'as pas besoin de me traîner partout où tu vas. Je risque de te gêner plus qu'autre chose.

Andreas leva les yeux au ciel.

— Sienna, nous nous marions demain, je te le rappelle. Que pensera-t-on si nous partons chacun de notre côté juste après la cérémonie ? Ce n'est pas ainsi que fonctionne un couple de jeunes mariés.

— Et Scraps ? Je ne peux pas le laisser juste au moment où il commence à s'habituer à moi. Il refusera de manger et finira par mourir de faim ou par se sauver.

— Cet horrible chien est-il donc si important pour toi ? soupira Andreas.

— Oui. Je n'ai jamais eu d'animal de compagnie quand j'étais enfant parce que nous vivions en appartement ou chez des gens. Mais j'ai toujours rêvé d'en avoir un. Au moins, les chiens ne vous jugent pas. Ils vous aiment tel que vous êtes, que vous soyez riches ou pauvres, que vous habitiez dans une banlieue chic ou dans une caravane. J'ai toujours…

Elle s'interrompit tout à coup, affreusement embarrassée. Que lui arrivait-il pour s'épancher sur un ton aussi larmoyant ?

Sous le regard perplexe d'Andreas, elle haussa nonchalamment les épaules et but une nouvelle gorgée.

— Après tout, je ne vois pas pourquoi Elena ne remplirait pas sa gamelle, reprit-elle. De toute façon, je ne pourrai pas l'emmener avec moi dans six mois. Il vaut mieux ne pas m'y attacher.

— Pourquoi ne l'emmènerais-tu pas en partant ?

— Parce que je voyagerai. J'aurai enfin assez d'argent pour aller où je veux et quand je veux. C'est mon rêve depuis toujours, de me sentir totalement libre, sans charges ni responsabilités.

— Cela me semble vain et superficiel, remarqua Andreas. Tu t'en lasseras.

— Oh non ! J'aime trop le plaisir et les vacances !

Une lueur indéfinissable dansa dans les yeux de son futur mari.

— Tu es vraiment une drôle de fille.

— Sans doute, dit Sienna en tendant son verre.

Andreas lui jeta un regard méprisant.

— Sers-toi toute seule, lança-t-il en quittant brusquement le *salone*.

Elena arriva plus tôt que prévu pour l'aider à se préparer. Elle s'extasia sur le fourreau de grand couturier, couleur crème, qui avait coûté une fortune.

— Le *signore* Ferrante va être… subjugué, *sì* ?

Sienna lui offrit son sourire le plus convaincant.

— J'ai le trac, avoua-t-elle en posant la main sur son estomac.

— C'est tout à fait normal, la rassura Elena. Toutes les femmes ressentent cela le jour de leur mariage.

Sauf qu'elle n'était pas une mariée comme les autres…

Petite fille, elle rêvait d'une grande cérémonie avec une vraie robe blanche et un long voile de tulle, dans une église pleine de fleurs odorantes. Une jolie demoiselle d'honneur apportait les bagues sur un plateau et un carrosse identique à celui de Cendrillon les attendrait sous le porche, son beau prince charmant et elle. Malheureusement, ses rêves n'avaient jamais fait bon ménage avec la réalité. Elle eut le cœur serré en pensant à Giselle, qui s'affairait au milieu de toutes sortes de préparatifs. Au moins, sa sœur allait vivre un flamboyant mariage d'amour…

Quand elle fut prête, Elena lui prit la main avec bienveillance.

— Venez. Franco a avancé la voiture. Il est l'heure de partir.

Andreas attendait au bas de l'escalier, un peu inquiet : il redoutait quelque extravagance de la part de Sienna. Mais quand il la vit arriver en haut des marches, il en eut le souffle coupé.

Elle portait une toilette élégante et raffinée, d'une exquise simplicité. Elle avait relevé ses cheveux blonds en un chignon classique qui mettait en valeur son cou gracile. Elle n'était presque pas maquillée, sauf un peu de blush sur ses pommettes hautes — ce qui faisait ressortir son teint lumineux. Ses yeux gris-bleu brillaient d'un éclat magnifique sous les longs cils recourbés et une touche de rose nacré teintait légèrement ses lèvres.

Il ne lui manquait que des bijoux.

Une pointe de remords le tenailla. Il aurait dû y penser, au lieu de lui donner simplement carte blanche pour s'offrir ce dont elle avait envie…

— Tu es superbe, dit-il avec sincérité. Je ne t'ai jamais vue aussi belle.

— C'est incroyable comme un peu d'argent vous métamorphose, répliqua-t-elle insolemment.

Il lui prit la main quand elle posa le pied sur la dernière marche.

— Et tu as même mis des chaussures, remarqua-t-il avec un petit sourire.

— Oui, mais je ne pourrai pas marcher longtemps avec !

Elena et Franco les observaient à l'arrière-plan, un peu comme s'ils étaient les parents de la mariée. En l'espace d'une semaine, Sienna les avait conquis par sa gentillesse et sa spontanéité. Naturellement, ils ignoraient la nature calculatrice qui se cachait derrière cette façade trompeuse...

Il se tourna vers Franco.

— Attendez quelques minutes. Je dois donner quelque chose à Sienna avant de partir.

— *Sì, signore.*

— Viens, dit-il à Sienna.

Il la conduisit dans son bureau, dont il referma la porte.

— Tu m'as acheté un cadeau ? demanda-t-elle, les yeux brillants.

— Non.

Il ouvrit le coffre-fort et en sortit un écrin qui abritait un collier de perles et de diamants, avec des boucles d'oreilles assorties.

— Je te les prête, dit-il, la gorge un peu serrée.

— C'est splendide, murmura Sienna en se penchant. Puis elle se redressa.

— Mais si tu avais acheté ces bijoux pour ton ex, je n'en veux pas.

— Ils appartenaient à ma mère. Elle les a portés pour son mariage.

Sienna eut un petit mouvement de recul.

— Je ne suis pas certaine qu'elle apprécierait ton geste.

C'est un peu… délicat, étant donné les circonstances, tu ne crois pas ?

— C'est une tradition familiale, chez les Ferrante.

— Alors, dans ce cas…

Elle se tourna pour lui offrir sa nuque. Andreas attacha le collier à son cou, tressaillant au contact de sa peau satinée.

— Tu sens bon, murmura-t-il. C'est un nouveau parfum ?

— Tu m'as accordé un crédit illimité, objecta-t-elle, sur la défensive.

— Ce n'est pas un reproche. D'ailleurs, tu t'es montrée remarquablement raisonnable. Mais ce n'est que le début, j'imagine.

Elle mit les boucles d'oreilles en lui lançant un regard noir.

— Comment me trouves-tu ?

— Eblouissante.

— Tant mieux. Ce n'est pas tous les jours qu'une fille comme moi épouse un milliardaire. Je veux profiter de tous les instants.

Sienna avait trouvé son mariage avec Brian Littlemore froid et impersonnel, mais ce n'était rien en comparaison de la cérémonie glaciale organisée par Andreas. Ils prononcèrent des vœux guindés et affreusement conventionnels. Elle fut même obligée de jurer fidélité et obéissance.

— Vous pouvez embrasser la mariée.

Ces mots déclenchèrent sa colère.

— Je ne…

Mais Andreas étouffa ses protestations en posant une main dans son dos pour l'attirer contre lui.

— Détends-toi, ma chérie, souffla-t-il. C'est juste pour la photo.

Dès que les lèvres d'Andreas se posèrent sur les siennes, elle chancela, comme si le sol basculait sous ses pieds. Sa rage s'était évanouie comme par magie, de même que sa crispation. Ce baiser la bouleversait. La bouche d'Andreas, chaude et ferme, possédait en même temps une incroyable douceur.

Elle en voulait davantage.

Elle n'avait pas envie que cela finisse.

Elle posa les mains sur son torse, à l'endroit où son cœur battait. Une sensation de force et de sécurité se dégageait de son corps viril et puissant.

Il introduisit le bout de la langue entre ses lèvres, d'autorité, et elle les entrouvrit sans résister, avec un petit gémissement. Puis, d'instinct, tout à fait involontairement, elle se serra contre lui.

L'officier d'état civil se racla la gorge, replongeant Sienna dans le réel.

— Hum… J'ai un autre mariage dans cinq minutes.

Elle s'écarta d'Andreas, les tempes bourdonnantes, en levant sur son tout frais mari des pupilles sans doute luisantes de désir. Bon sang, il fallait absolument qu'elle se ressaisisse !

Il leur fallut de longues minutes avant de pouvoir échapper aux photographes et aux reporters. Les flashes crépitaient autour d'eux et Sienna avait mal aux joues à force de sourire ; de plus, elle avait les pieds en compote.

— Ils sont ravis du spectacle, lui murmura Andreas à l'oreille.

Elle était encore tellement chavirée qu'elle ne voulait même pas tenter d'analyser ses émotions. Elle s'était abandonnée au baiser d'Andreas sans la moindre retenue.

Ils avaient partagé un moment de passion intense, comme si le monde alentour n'existait plus. Elle tremblait encore de tous ses membres après cet assaut sensuel pour le moins déconcertant.

Soudain, il la prit par la main et fendit la foule des journalistes pour rejoindre la limousine de location, à côté de laquelle les attendait Franco. Ils s'installèrent à l'arrière et Andreas remonta la vitre de séparation entre l'arrière et l'avant.

— Tout s'est déroulé à la perfection, remarqua Andreas dès que le véhicule eut démarré.

— Tu crois ? lança Sienna en ôtant ses chaussures.

— Absolument. Maintenant, Elena nous a probablement préparé un dîner aux chandelles. Il faudra y faire honneur. C'est une incorrigible romantique.

— Elle me fait penser à Kate, ma colocataire de Londres. Elle est persuadée que tu vas tomber amoureux de moi et me supplier de rester.

— Tu l'as détrompée, j'espère ?

— Evidemment ! De toute façon, même si tu me payais, je ne resterais pas.

Andreas eut un rire moqueur.

— Tu changerais d'avis si le montant était assez élevé.

Elle lui décocha son regard le plus venimeux.

— Tu n'as pas assez d'argent pour m'acheter. Au fait, pour ta gouverne, sache que je n'ai pas du tout l'intention de respecter mon serment d'obéissance.

— Tu l'as prononcé devant un représentant de la loi, observa-t-il avec hauteur.

— Cela m'est égal. Je ne me plierai pas à tes volontés.

— Tu m'as pourtant embrassé.

Elle se redressa, furieuse.

— Tu m'as eue par surprise ! Tu devrais avoir honte.

Il posa les yeux sur ses lèvres, réveillant instantanément un picotement irrépressible le long de son épiderme.

— C'était très agréable, observa-t-il. Je comprends pourquoi tu as cette réputation… Depuis tout à l'heure, je fantasme.

— Arrête ! s'écria-t-elle. Nous avons décidé de nous en tenir strictement à notre accord.

— Nous pourrions peut-être y apporter quelques aménagements. Un célibat de six mois risque de nous paraître un peu long…

— Pas à moi.

Les mots semblèrent planer un instant entre eux.

— Allons, Sienna, ne te moque pas de moi, dit enfin Andreas. Tu ne connais peut-être même pas le nom de tous les hommes avec lesquels tu as couché…

— C'est malheureusement vrai, répondit-elle avec une sincérité teintée d'ironie.

Andreas grimaça, l'air dégoûté.

— N'as-tu donc aucun respect pour toi-même ?

Elle redressa fièrement le menton.

— Si. Et je l'évalue très haut. J'aurais pu me contenter de la somme fixée par ton père dans son testament. Mais je savais que tu paierais beaucoup plus cher pour avoir ce que tu veux. En fait, tu serais prêt à tout pour m'empêcher de rentrer en possession de ce château.

— Effectivement, admit-il entre ses dents serrées. Tu ne te plaindras pas de ne pas avoir été prévenue.

5.

Andreas n'avait qu'une envie : partir se promener sur ses terres, seul et le plus loin possible de Sienna, afin de recouvrer ses esprits. Mais devant Franco et Elena, il était bien obligé de jouer son rôle en faisant franchir le seuil de sa demeure à sa jeune épouse. La seule idée de la porter dans ses bras suffisait néanmoins à l'emplir d'appréhension.

— Que fais-tu ? lança-t-elle, interloquée quand il la prit dans ses bras.

— Je respecte tout simplement les traditions, répondit-il en apercevant le sourire réjoui de sa gouvernante.

Sienna était légère comme une plume. Quand elle passa un bras autour de son cou, il s'efforça de ne pas respirer son parfum capiteux, et de ne pas non plus regarder sa bouche qu'il avait pris tant de plaisir à embrasser… Pour sûr, il ne se satisferait pas de cet avant-goût beaucoup trop fugace qui le laissait sur sa faim. Même s'il s'en défendait, il savait depuis toujours qu'elle lui appartiendrait un jour, quoi qu'il advienne. Cette certitude enracinée au plus profond de lui ne le quittait pas, en dépit de la discipline et des efforts qu'il s'imposait.

Il la voulait.

Il la déposa à terre doucement, en la faisant glisser le long de son corps.

Il la voulait et il l'aurait.

Les yeux rivés aux siens, Sienna se mit à trembler.

Puis, comme si elle avait absolument besoin de nier l'attirance inéluctable qui les poussait l'un vers l'autre, elle se récria avec véhémence :

— Cette comédie était-elle bien nécessaire ?

— Bien sûr. Elena et Franco nous regardaient.

— Eh bien, il n'y a plus personne, maintenant. Nous pouvons recommencer à être nous-mêmes et à nous bagarrer.

Au lieu de la lâcher, il la pressa contre lui avec un rire moqueur.

— Pourquoi es-tu si pressée ? J'aime bien te serrer dans mes bras. Et cela ne te déplaît pas, *sì* ?

Les pupilles dilatées, Sienna non seulement ne tenta pas de le repousser, mais se rapprocha de lui imperceptiblement.

— Tenons-nous-en à notre contrat, protesta-t-elle malgré tout.

— Je ne suis pas dupe de ton petit jeu, Sienna, railla-t-il. Depuis le début, tu as une idée derrière la tête. Tu voudrais que j'y réfléchisse à deux fois avant de divorcer dans six mois, comme prévu.

Il captura sa main et déposa un baiser au bout de chacun de ses doigts, tandis qu'elle protestait sans conviction.

— Tu te trompes. Je n'ai pas du tout envie de prolonger mon mariage avec toi plus longtemps qu'il ne faut.

Andreas garda sa main prisonnière. Elle était si près qu'il sentait la chaleur de son corps, avec son parfum terriblement tentant, un mélange de jasmin et de chèvrefeuille qui intensifiait son brûlant pouvoir de séduction. Elle bougea les doigts contre sa paume, peut-être pour tester sa résistance, mais ce geste le troubla infiniment.

Pour la deuxième fois de la journée, il se pencha pour l'embrasser.

De nouveau, ce fut comme un séisme.

Elle avait le goût irrésistible des fruits défendus et il

dévora sauvagement sa bouche, avec une violence et une rapacité dont il ne se serait jamais cru capable. C'était comme un désir mâle, primitif, qui surgissait du plus profond de son être. Il n'avait jamais soupçonné à quel point un simple baiser pouvait devenir incontrôlable.

Leurs langues se frôlèrent, entamant une danse frénétique, endiablée, qui l'enfiévra. Son désir était sur le point de lui faire perdre tout contrôle. Sienna le mordit et il la mordit en retour, exacerbant encore son ardeur.

Il enfouit la main dans les cheveux de sa nuque tout en continuant à explorer sa bouche. Puis il trouva la rondeur de son sein et se mit à le caresser, en pressant de toutes ses forces le pubis de Sienna contre son sexe, sans plus savoir à qui appartenaient les pulsations désordonnées qui battaient sous sa peau.

Il voulait la voir nue.

Entièrement.

Pour contempler son corps magnifique, sa carnation nacrée, goûter chaque centimètre de ses courbes féminines. Pour la faire crier de plaisir. Il avait envie de s'enfoncer en elle, dans sa chaleur de miel.

Il commença à soulever le bas de sa robe, mais sa proie s'écarta brusquement en croisant les bras sur sa poitrine, comme si elle avait froid.

— Je suis désolée, Andreas. Je ne veux pas continuer.

— Cela fait partie de ta stratégie de séduction ? Tu te refuses pour mieux m'exciter ?

Elle s'empourpra.

— Je n'avais pas l'intention de te stimuler.

— J'ai pourtant l'impression que nous avons envie de la même chose.

— Arrête de m'embrasser, ordonna-t-elle en retrouvant son ton hautain.

— Ah, mais cela m'a mis en appétit !

Elle le défia du regard.

— Eh bien, il faudra assouvir ta faim ailleurs. Je ne serai pas ta maîtresse.

— Naturellement, puisque tu es ma femme, répliqua-t-il, sarcastique.

— Uniquement sur le papier.

Andreas réprima le mélange de colère et de frustration qui lui montait à la tête. Elle se jouait de lui et il était sottement tombé dans le piège. Elle savait combien il la désirait. Il était incapable de le dissimuler. Mais elle aussi éprouvait la même chose. Il aurait fallu être aveugle pour ne pas s'en apercevoir. La façon dont elle s'était serrée contre lui était assez éloquente.

Il n'aurait de cesse de la conduire là où il voulait l'emmener. Depuis toujours.

Sienna était la seule femme capable de lui faire perdre son empire sur lui-même. Il y avait bien longtemps qu'il s'en était rendu compte, même s'il avait délibérément refoulé cette pensée au plus profond de lui.

Maintenant, c'était différent. Plus rien s'y opposait. Plus rien ne l'empêchait d'explorer la passion qui les embrasait dès qu'ils se retrouvaient en présence l'un de l'autre.

Et l'impatience le dévorait.

Sienna referma la porte de sa chambre et s'appuya le dos au mur. Elle avait du mal à respirer et son sang battait contre ses tempes. Andreas et elle étaient mariés depuis à peine deux heures et déjà la situation menaçait de devenir incontrôlable. L'attirance qu'elle éprouvait pour cet homme la mettait mal à l'aise, car il la haïssait autant qu'il la désirait. Mais qu'y pouvait-elle ? Même si son esprit disait non, son corps, traîtreusement, répondait oui, au mépris du bon sens le plus élémentaire. Etait-elle condamnée à se perdre dans l'hédonisme et la sensualité ?

Elle ne voulait pas finir comme sa mère, follement éprise d'un homme qui s'était servi d'elle pour assouvir ses penchants lubriques. Nell Baker avait été complètement détruite par l'amour malheureux qu'elle vouait à Guido Ferrante. Après qu'il l'eut rejetée publiquement, elle avait sombré dans l'alcool et les barbituriques qui avaient précipité sa mort.

Déterminée à se protéger, Sienna n'avait pas l'intention de suivre le même chemin, qui menait fatalement à l'autodestruction. Andreas avait beau être l'homme le plus séduisant qu'elle ait jamais rencontré, elle ne tomberait pas pour autant amoureuse. Ses rêves d'adolescente s'étaient depuis longtemps évanouis. Ses fantasmes et son béguin d'adolescente appartenaient à une époque définitivement révolue.

Maintenant, tout était différent.

Elle ferait comme beaucoup de jeunes femmes modernes et comme tous les hommes depuis des siècles : elle séparerait émotions et besoins physiques. L'amour n'avait rien à voir avec le sexe. Forte de cette résolution, elle se changea, se rafraîchit et rejoignit Andreas au *salone*.

Elena avait disposé une bouteille de champagne dans un seau à glace, sur un plateau.

— J'ai tout préparé dans la salle à manger, annonça-t-elle avec un large sourire. Vous préférez être seuls, *sì* ? Ce sera beaucoup plus romantique.

— *Grazie*, Elena, dit Andreas. Je suis sûr que tout sera absolument délicieux.

— Merci de vous être donné tant de mal, ajouta Sienna. J'ai aperçu la table en passant. C'est magnifique !

— Bonne soirée, lança la gouvernante en se dépêchant de partir pour ne pas troubler leur intimité.

Sienna s'approcha d'Andreas en lui tendant le collier et les boucles d'oreilles de sa mère.

— J'aime mieux les rendre tout de suite avant de m'y

65

habituer. La prochaine Mme Ferrante sera certainement ravie de perpétuer la tradition.

Andreas les prit avec une expression indéchiffrable.

— Merci.

Elle força un sourire sur ses lèvres.

— Allons-nous boire un peu de champagne ?

— Tu en veux ?

— Pourquoi pas ?

Elle le regarda ouvrir la bouteille de ses belles mains qui l'avaient si bien caressée un peu plus tôt.

— Il est d'usage de porter un toast, dit-il en lui tendant une flûte.

Elle leva son verre.

— Alors, à quoi buvons-nous ?

— A faire l'amour, pas la guerre, répondit-il en la fixant droit dans les yeux.

— L'*amour*, Andreas ? répéta-t-elle insolemment. Parlons plutôt de sexe !

Il esquissa un sourire.

— Tu en as aussi envie que moi. Ce n'est pas la peine de prétendre le contraire.

Elle haussa les épaules d'un air faussement indifférent.

— J'avoue que l'idée de coucher avec toi m'inspire une certaine fascination. Mais si nous allons jusque-là, il ne faudra pas t'imaginer autre chose qu'une satisfaction purement physique.

— *Si* nous allons jusque-là ? répéta-t-il.

— Oui, *si*. Rien n'est sûr encore.

Il but une gorgée de champagne.

— Ce qu'il y a entre nous ne va pas disparaître comme par enchantement. Mais cela n'excédera pas les six mois convenus. A ce moment-là, nous aurons tous les deux obtenu ce que nous voulions et nous serons chacun libre de reprendre le cours de notre existence.

Sienna prit un malin plaisir à le contrarier :

— Et si six mois ne te suffisaient pas ? Tu te seras peut-être tellement habitué à moi que tu ne pourras plus te passer de ma présence.

— Il n'y a aucun danger. Je te laisserai repartir, tu peux en être certaine. Tu n'es pas celle que je souhaite comme épouse ni comme mère de mes enfants.

Sa réponse cinglante la blessa cruellement. Généralement, elle évitait de penser à l'avenir et à la question des enfants. Après l'enfance instable et chaotique qu'elle avait vécue, elle avait peur de ne pas savoir être une bonne mère. Mais elle ne permettait à personne de l'insulter en mettant en doute ses capacités. Elle n'aurait pas souffert davantage si Andreas lui avait planté un poignard dans le cœur et elle s'en voulait d'être aussi vulnérable. Cela ne lui ressemblait pas de se laisser atteindre par des remarques désobligeantes.

Elle figea néanmoins un sourire insolent sur ses lèvres et décida de jouer la provocation.

— Heureusement, parce que je n'ai pas l'intention d'abîmer mon corps en mettant au monde d'insupportables gamins, fussent-ils ceux d'un milliardaire.

Le regard d'Andreas se durcit.

— Ta sœur est-elle aussi égoïste et superficielle que toi ?

— Tu t'en rendras compte par toi-même dans quelques semaines. Elle m'a demandé d'être sa demoiselle d'honneur à son mariage. Tu seras obligé de m'accompagner à Rome. Quelle chance, n'est-ce pas ?

— Cette perspective me rend fou de joie, répliqua-t-il sèchement.

Sienna s'assit et croisa les jambes.

— Eh bien, cette lune de miel ? Quand partons-nous ?

— Demain matin. Je ne peux pas m'absenter plus de deux jours, trois au grand maximum. J'ai beaucoup de travail, en ce moment.

— Je dois vraiment venir avec toi ?

— Nous avons déjà eu cette discussion, Sienna. Ne t'inquiète pas pour ton chien, il survivra à la séparation. J'en ai parlé à Franco. Il lui donnera à manger.

— Tu ne vas pas te débarrasser de lui pendant que j'ai le dos tourné ?

— Sois tranquille. Même si je ne partage pas ton enthousiasme, je me rends compte que tu es attachée à lui. J'espère seulement que tu ne seras pas déçue. Ce genre de chien errant à moitié sauvage peut être dangereux. Méfie-toi.

— Ta sollicitude me touche, Andreas ! lança-t-elle, cynique.

Il posa son verre en soupirant.

— Allons manger.

Elena avait préparé un véritable festin, avec des plats typiques et des produits locaux de qualité. Elle avait même confectionné un gâteau de mariage et noué un ruban de satin autour du manche du couteau disposé à côté du plat.

— Quelle charmante attention ! s'écria Sienna en contemplant les petites figurines juchées au sommet. En plus, le marié te ressemble. Il est aussi raide et guindé que toi.

Andreas lui jeta un regard irrité.

— Elle n'aurait pas dû se donner autant de mal, grommela-t-il.

— Au lieu de te plaindre, tu devrais plutôt te réjouir, toi qui tiens tant à ce que les gens y croient…

— Comment réagirais-tu à ma place ? Vois-tu une autre solution ? Je ne vais tout de même pas clamer sur les toits que mon père m'a manipulé pour m'imposer un mariage avec une fille de rien ! Je serais la risée de la ville, sinon du pays tout entier.

L'écho de ses paroles flotta un instant dans le silence.

Sienna reposa précautionneusement son assiette sur le buffet, sans doute pour s'empêcher de la lui jeter à la figure. Puis, se tournant vers lui, elle lui jeta son regard le plus glacial.

— Bon appétit, dit-elle. J'espère que tu attraperas une indigestion.

Elle se dirigea vers la sortie mais il lui barra le passage.

— Sienna…

Elle garda la tête baissée.

— Ote-toi de mon chemin. Je ne veux plus te parler.

Quand il posa une main sur son épaule, elle se dégagea avec violence.

— Ne me touche pas ! Je ne supporte pas ton contact.

Il la défia du regard.

— Ce n'est pas vrai.

— Si. Je te hais. De toutes mes forces. Tu crois qu'il te suffit de lever le petit doigt pour avoir ce que tu veux parce que tu es riche et puissant. Mais, moi, tu ne m'auras pas !

— Si, je t'aurai, répondit-il avec une conviction confinant à la morgue. Quand je veux. Cela te fait peur, d'ailleurs. N'est-ce pas, Sienna ? Tu ne peux pas me résister et cela ne te plaît pas, parce que d'habitude c'est toi qui mènes le jeu. Mais, avec moi, les rôles sont inversés, ma chérie. Tu es à ma merci.

Sienna essaya de forcer le passage mais buta contre son bras en travers de la porte. Aussitôt, elle recula vivement, comme si elle s'était brûlée.

— Laisse-moi passer ou bien…

— Ou bien quoi ? lança-t-il d'une voix moqueuse. Tu vas me frapper ?

Poussée à bout, Sienna se jeta sur son geôlier avec une violence qui la surprit elle-même ; elle entreprit de tambouriner sur son torse de ses poings fermés. Comme ses tentatives demeuraient sans effet, elle leva la main pour le gifler ; il l'intercepta aussitôt, avec une rapidité de réflexe qui la prit de court.

Elle essaya alors de lui donner des coups de pied dans les tibias. Vainement. Beaucoup trop près, elle ne réussit qu'à s'agiter en gaspillant son énergie. De toute façon, il lui fallait se rendre à l'évidence encore une fois : physiquement, il était beaucoup plus fort…

Soudain, surgies à son insu du plus profond de son être, les émotions qu'elle contenait d'habitude derrière une façade insolente et délurée remontèrent d'un coup à la surface. Elle éclata en sanglots.

Cela eut un effet immédiat et miraculeux : Andreas la lâcha.

— Que se passe-t-il ?

Secouée par les hoquets, les yeux gonflés, Sienna se mit à renifler, totalement incapable de parler.

— Arrête de pleurer, pour l'amour du ciel.

— Je… Je ne peux pas, bredouilla-t-elle.

Il eut un soupir d'impuissance.

— Je suis désolé. J'ai utilisé des mots insultants qui ont dépassé ma pensée.

Il l'attira au creux de ses bras en lui caressant les cheveux.

— Ne pleure plus, je t'en prie. Je ne voulais pas te blesser, je regrette.

Elle aurait dû le repousser à ce moment-là, mais la chaleur de son étreinte la réconfortait. Et c'était terriblement agréable d'entendre les battements de son cœur sous sa joue. Andreas était si tendre, subitement… Elle éprouva tout à coup un sentiment de sécurité qu'elle n'avait jamais encore ressenti, comme si elle était à l'abri de tous les dangers dans une forteresse inexpugnable.

Le souffle d'Andreas effleura sa tempe comme une caresse.

— Cela ne te ressemble pas de pleurer. Tu as eu trop d'émotions, j'aurais dû te ménager. Non seulement tu as quitté ton appartement et tes amis de Londres, mais tu dois t'adapter à un nouvel environnement, avec en prime le tapage médiatique autour de notre mariage. C'est beaucoup en peu de temps.

Il sortit un mouchoir de sa poche.

— Tiens, sèche tes larmes, *cara*.

Elle se tamponna les yeux en tentant de se ressaisir.

— Excuse-moi, je ne sais pas ce qui m'a pris.

Andreas écarta doucement ses cheveux.

— Je me suis comporté comme une brute. Nous sommes condamnés à vivre ensemble pendant six mois. Les insultes n'arrangeront rien.

— Je suis désolée de t'avoir frappé.

Il esquissa un sourire.

— Je n'ai rien senti.

— Cela ne t'ennuie pas trop si je ne dîne pas avec toi ? Je ne me sens pas bien. Je vais me coucher de bonne heure.

— Tu veux un cachet ?

— Non, c'est gentil, dit-elle en secouant la tête.

Parvenue sur le seuil, elle se retourna.

— Je suis sincèrement désolée, Andreas.

— Tu n'as pas à t'excuser. C'est moi qui ai tort. Je n'aurais pas dû prononcer certains mots.

Elle se mordit la lèvre.

— Je ne parle pas seulement de ce soir…

Andreas se figea, une expression impénétrable sur ses traits aristocratiques. Il demeura un long moment sans répondre.

— Va dormir. Repose-toi. A demain matin.

Sienna referma la porte derrière elle et monta l'escalier d'un pas aussi lourd que son cœur.

6.

Pendant le voyage jusqu'en Provence, Andreas se montra courtois et attentionné. Etait-ce au bénéfice des journalistes qui pouvaient rôder dans les parages ? se demanda Sienna. Ou avait-il pris acte des excuses qu'elle avait tenté de formuler la veille au sujet du lointain épisode de son adolescence ?

Dans la voiture qui les conduisait de l'aéroport de Marseille à la propriété, il lui expliqua que le château appartenait à la famille de sa mère depuis de nombreuses générations. Mais son oncle Jules étant mort sans héritier, la bâtisse était revenue de droit au mari d'Evaline, Guido. Andreas en voulait à sa mère de ne pas avoir modifié son testament en découvrant l'infidélité dont elle était victime. Elle se débattait alors contre la maladie avec une chimiothérapie éprouvante. Elle avait sans doute manqué d'énergie.

La beauté du lieu coupa littéralement le souffle à Sienna. La réalité n'avait rien à voir avec les photos.

Emergeant de champs de lavande mauve, le château de Chalvy se détachait sur un paysage de douces collines qui moutonnaient jusqu'à un horizon montagneux. Une prairie fleurie de coquelicots s'agitait doucement sous la brise et des senteurs délicates flottaient dans l'air avec le chant des oiseaux. Une paix extraordinaire se dégageait de l'endroit, surtout après le vacarme et la cohue des aéroports.

La tentation de posséder un tel domaine, véritable paradis, s'empara de nouveau de Sienna, avec encore plus de force. Si Andreas la quittait avant l'échéance des six mois, tous ces hectares de terre seraient légalement à elle, avec le château de vieilles pierres séculaires.

Son cœur se mit à battre follement. Etait-ce vil et honteux d'abriter pareille convoitise ? Personne n'aurait plus jamais le pouvoir de la jeter à la rue. On ne risquerait plus de tambouriner à sa porte pour réclamer un loyer en retard. Pour la première fois de sa vie, elle se sentirait en sécurité, avec un toit bien à elle au-dessus de sa tête.

Mais cela arriverait uniquement si Andreas rompait le contrat avant l'heure.

Jean-Claude et sa femme Simone, en charge du domaine, les accueillirent dès leur descente de voiture, avec des rafraîchissements et de délicieuses pâtisseries maison. Puis Jean-Claude emmena Andreas pour une tournée d'inspection pendant que Simone aidait Sienna à s'installer.

Elle avait préparé une suite tout spécialement pour le couple de jeunes mariés, avec des draps en lin à l'ancienne, fraîchement lavés et repassés, et un énorme bouquet de fleurs sur la commode en noyer. Gênée de devoir partager la chambre d'Andreas, Sienna se retint cependant de toute remarque et complimenta la gouvernante pour son accueil.

— C'est traditionnellement la suite nuptiale, avec la plus belle vue sur les champs de lavande, lui affirma celle-ci. Depuis des siècles, toutes les jeunes femmes de la famille de Chalvy entament ici leur nouvelle vie d'épouse. C'est dommage que vous ne puissiez pas rester plus longtemps. M. Ferrante est très occupé, je présume ?

— Oui, très, acquiesça Sienna.

— Je vous laisse vous reposer. Le dîner sera servi à

20 h 30. J'ai commandé le repas au chef d'un restaurant réputé de la ville voisine.

— C'est très gentil à vous.

— Je vous en prie, c'est bien naturel. C'est la première fois depuis de longues années que M. Ferrante nous fait l'honneur d'une visite et nous sommes très heureux de le recevoir. Pendant un temps, nous nous demandions s'il ne resterait pas célibataire comme son oncle.

— Jules ?

Simone hocha la tête.

— C'était un vrai coureur de jupons. Alors que sa sœur, Evaline, n'avait d'yeux que pour le père d'Andreas depuis son adolescence. Elle s'est mariée très jeune et a été très heureuse jusqu'à…

Elle s'interrompit, le rouge aux joues.

— Pardonnez-moi, reprit-elle, contrite, je me conduis comme une commère du village. J'avais oublié vos liens avec la famille. J'espère que je ne vous ai pas offensée.

— Ne vous inquiétez pas, dit Sienna. La liaison de ma mère avec le père d'Andreas a malheureusement causé beaucoup de chagrin à plusieurs personnes.

— Personne ne sait vraiment ce qui se passe à l'intérieur d'un couple, soupira Simone. Evaline a aimé Guido jusqu'au jour de sa mort, mais lui n'avait peut-être aucun sentiment pour elle. Certains hommes sont ainsi, surtout les riches et les puissants qui croient que l'argent peut tout acheter.

Sienna était tout à fait d'accord. Andreas n'était-il pas de ceux-là ?

— J'ai un problème, déclara Sienna en rejoignant Andreas dans les jardins du château.

Elle l'avait guetté depuis la fenêtre de la suite et s'était empressée de descendre pour lui parler dès qu'elle l'avait aperçu. Ils se trouvaient à côté d'un joli bassin couvert de nymphéas, avec une fontaine au milieu.

— Laisse-moi deviner, dit-il avec un petit sourire en coin. Tu as oublié ton fer à lisser ?

Elle lui lança un regard éloquent. Il savait très bien ce qui se passait et se moquait d'elle !

— Je refuse de partager une chambre avec toi, surtout la suite nuptiale ! Tu n'imagines pas tous les préparatifs dans lesquels Simone s'est lancée. Elle a sorti les draps de ton arrière-arrière-grand-mère et astiqué tous les meubles.

Andreas la prit par le bras pour la conduire dans l'allée bordée de cyprès.

— Pas si fort, ma chérie, les jardiniers vont t'entendre.

A son contact, Sienna éprouva un délicieux frisson, qu'elle ne put réprimer.

— Il faut faire quelque chose, insista-t-elle.

— Ce n'est pas la peine d'en faire toute une histoire. C'est seulement pour deux nuits, et nous ne pouvons pas rompre avec la tradition séculaire des Chalvy.

Elle s'immobilisa et le toisa.

— Tu le savais en venant ici, n'est-ce pas ? Tu le savais et tu ne m'as rien dit.

— Pour être franc, je n'avais pas du tout songé à ces vieilles coutumes. Ma grand-mère a dû être la dernière à les suivre, puisque ma mère a vécu en Italie et n'est revenue ici que beaucoup plus tard. Et comme mon oncle était célibataire, tu es la première jeune mariée à dormir au château depuis très longtemps.

— Tu oublies un détail : je ne suis pas une Chalvy, et j'épouse un Ferrante.

Une lueur dangereuse brilla dans les yeux de son vrai-faux mari.

— Peu importe.

— Je ne t'appartiens pas, Andreas, assea-t-elle avec force.

Il lui sourit et prit ses deux mains entre les siennes.

— Cesse de te plaindre et de froncer les sourcils, *cara*. Tu vas attirer l'attention des domestiques. Ce n'est pas ainsi que se comporte une jeune mariée.

Quand il la pressa contre lui, elle ne pensa même pas à résister. Il lui était impossible de lutter contre les sensations exquises que la présence d'Andreas déclenchait dans son corps. Et quand il se pencha pour l'embrasser, ce fut pire. Elle contempla sa bouche avec une sorte de fascination hypnotique, tandis que des frissons, comme des étincelles électriques, couraient sur sa peau et que la pointe de ses seins se durcissait.

Sous les lèvres douces mais fermes d'Andreas, elle entrouvrit bientôt les siennes. Il les caressa de sa langue. Aussitôt, des picotements se propagèrent tout le long de sa colonne vertébrale, lui arrachant un gémissement. Elle s'offrit à lui. Dans la guerre sensuelle qu'ils se livraient, il était clair qu'elle n'avait aucune chance de gagner et qu'il sortirait vainqueur. Elle avait perdu la bataille dès l'instant où il avait effleuré sa bouche.

En l'espace de quelques secondes, ses velléités de rébellion furent anéanties. Son désir était si violent qu'elle en avait le vertige. Elle le voyait comme un ennemi qui s'était avancé à couvert, insidieusement, pour apparaître en plein jour au dernier moment, quand il était trop tard pour réagir. Même si elle avait peur de perdre la maîtrise d'elle-même, il lui était impossible de faire autrement. La part d'elle affamée de sensualité réclamait l'assouvissement.

Enfouissant une main dans ses cheveux, Andreas l'obligea à pencher la tête en arrière. Son baiser se fit plus profond, plus urgent. Ses joues râpeuses lui frottaient la peau ; Sienna n'en avait cure. Elle voulait juste se perdre dans la fièvre et la frénésie de l'instant. Peu importaient le passé et l'avenir. Au diable le tabou qui avait longtemps jeté l'interdit sur leurs retrouvailles. Il n'avait plus cours. Seule comptait désormais l'éternité du présent.

La main d'Andreas glissa le long de sa nuque, puis de son dos, pour se plaquer contre ses reins. Pressée tout contre son ventre, elle perçut la vigueur de son désir d'homme et en fut chavirée. Dès lors, toute pensée cohérente l'abandonna et elle fut réduite à une boule d'impatience, tendue vers l'accomplissement du besoin qui la dévorait.

— Tu veux toujours faire chambre à part ? demanda-t-il enfin en s'écartant.

Sienna retint une exclamation de dépit.

— Finalement, Simone a peut-être eu raison d'aérer le linge de famille qui dormait dans les vieilles armoires, concéda-t-elle.

Il prit son visage entre ses mains.

— Tu es drôle et j'aime ton humour. Toi, au moins, tu ne t'aplatis pas devant moi avec des courbettes, comme tant d'autres. Et tu as un sacré caractère.

Quelle ironie ! Il disait cela précisément quand elle avait cédé et abandonnait le terrain. Elle se tenait au bord d'un précipice, prête à sauter dans le vide pour vivre une liaison passionnée, quel qu'en soit le prix à payer par la suite. En le fixant dans les yeux, elle eut l'impression que les dernières bribes de ses résolutions s'évanouissaient.

Elle le voulait.

Depuis toujours.

Et elle pouvait l'avoir pour six mois !

Cette pensée, plus qu'une tentation, était une autorisation spéciale. Et Sienna avait toutes sortes de bonnes raisons pour se justifier d'en jouir. Il s'agissait d'une période définie à l'avance, à la fin de laquelle ils repartiraient librement, chacun de leur côté. Ils connaissaient tous les deux les règles de l'arrangement temporaire qui leur vaudrait à chacun d'appréciables compensations. Il n'était pas question de tomber amoureux. Ce serait juste un intermède érotique, une distraction agréable pendant la période où ils étaient enchaînés l'un à l'autre contre leur gré. Et Dieu sait si elle avait besoin d'un amant. Cela faisait trop longtemps qu'elle était seule.

Andreas caressa sa lèvre inférieure du pouce.

— Tu sais combien j'ai envie de toi, murmura-t-il. Tu le sais depuis le début. Et mon père s'en était probablement aperçu. Sinon, pourquoi aurait-il orchestré tout ceci ?

L'estomac de Sienna se contracta.

— Je pensais vraiment ce que je t'ai dit hier soir. Je regrette sincèrement la façon dont je me suis comportée à dix-sept ans. J'ai paniqué lorsque ton père est entré dans ta chambre. J'avais peur que ma mère perde son travail parce que c'était la première fois que je la voyais heureuse. Je ne voulais pas compromettre sa situation. Mais je n'avais pas prévu quelles proportions prendrait l'incident. Je n'imaginais pas un seul instant que tu puisses partir pour ne jamais revenir.

Andreas la lâcha et recommença à marcher avec elle en direction du château.

— Il y a eu plusieurs raisons à mon départ, expliqua-t-il. Mon père et moi avions des relations difficiles. Nous nous heurtions sur de nombreux sujets. Par exemple, il s'opposait à ma carrière dans le design. Mais je tenais à travailler pour ne pas tenir ma fortune uniquement de l'héritage paternel, contrairement à lui. Je voulais être l'artisan de ma réussite et ne pas dépendre de son bon vouloir. Il s'est senti insulté. En fait, il avait envie de me contrôler mais j'ai refusé de me laisser faire.

Tout en cheminant à côté de lui, Sienna se demanda

s'il la pardonnerait jamais d'avoir envenimé une situation familiale déjà tendue. Elle avait fait preuve d'une immaturité inexcusable en gâchant toutes les chances d'Andreas de se réconcilier avec Guido.

— J'ignorais évidemment que ma mère avait une liaison avec ton père, à l'époque, déclara-t-elle après un long silence. J'aurais sans doute agi différemment si j'avais été au courant.

Il s'arrêta, une expression de profonde amertume sur le visage.

— Ta mère était une arriviste qui a jeté son dévolu sur mon père par pur intérêt. Je ne comprends pas comment un homme intelligent comme lui a pu se laisser piéger.

— Elle l'aimait, protesta Sienna, vexée par ce portrait peu flatteur. C'est d'ailleurs le seul homme qu'elle a aimé dans sa vie. Elle me l'a confié quelques jours avant de mourir. Avant lui, elle n'avait eu que de brèves histoires sans importance. Mais elle a été très amoureuse de ton père. Elle a été ravagée par le chagrin lorsqu'il a rompu. Elle espérait sans doute qu'il finirait par l'épouser.

— Je me demande si elle n'aimait pas plutôt le style de vie qu'il aurait pu lui offrir, lança Andreas, cynique.

Cette remarque la blessa profondément, comme si cela avait été d'elle qu'il parlait.

— Tu ne peux pas comprendre car tu es incapable d'amour ! s'emporta-t-elle. Tu es comme ton père. Tu prends aux autres sans jamais rien leur donner en échange. Tu mènes ton existence froidement, sans émotion.

— Comme toi, non ? jeta-t-il, sardonique. Tu as épousé Brian Littlemore pour son argent et tu fais exactement la même chose avec moi. Tu demandes de l'argent en échange de ton corps, mais tu ne veux pas donner ton cœur.

— Tu veux mon cœur, Andreas ? lança-t-elle, provocante.

Il la détailla longuement et elle eut l'impression qu'une flamme la brûlait.

— Tu sais ce que je veux, déclara-t-il. La même chose que toi. Et, ce soir, rien ne s'y oppose.

Elle redressa les épaules.

— Je n'ai pas accepté de dormir avec toi.

Il se pencha et pressa un baiser fougueux sur ses lèvres.

— Pas encore, mais tu ne pourras pas t'en empêcher.

— Nous verrons.

Il effleura sa joue du bout des doigts.

— Je suis terriblement impatient, lança-t-il avec un sourire moqueur.

7.

Sienna était affreusement nerveuse quand elle descendit dans le salon pour l'apéritif. Elle avait réussi à éviter Andreas depuis leur petite conversation dans le jardin, mais il occupait toutes ses pensées. En l'entendant monter prendre une douche et se changer pour le dîner, elle n'avait pu s'empêcher de l'imaginer, nu, dans la salle de bains qu'elle avait utilisée quelques minutes plus tôt. Les fantasmes s'imposaient insidieusement à son esprit, comme si son corps voulait assouvir malgré elle d'impérieux et traîtres désirs.

Et Andreas en avait parfaitement conscience, elle n'en doutait pas.

— Où sont Jean-Claude et Simone ? demanda-t-elle d'une voix agitée.

Une lueur moqueuse s'alluma dans les yeux d'Andreas.

— C'est notre lune de miel, ma chérie. Ils respectent notre intimité.

Elle détourna le regard et prit la flûte de champagne qu'il lui avait servie.

— Je comprends pourquoi tu es si attaché à cet endroit, dit-elle pour changer de sujet. C'est très beau.

— Ma mère l'aimait beaucoup. Elle voulait que ses petits-enfants grandissent comme Miette et moi, dans un mélange de culture franco-italienne.

Elle s'absorba dans la contemplation des bulles dans son verre pour ne pas penser aux futurs enfants d'Andreas courant dans le château et le parc. C'était troublant de l'imaginer marié et père de famille. Renouerait-il avec Portia Briscoe une fois leur contrat arrivé à échéance ? Car c'était elle, l'épouse idéale.

— Miette n'est pas jalouse que ce soit toi qui hérites du château ?

— Elle s'inquiète surtout que je sois obligé de cohabiter avec toi. Elle craint de basses manœuvres contre moi.

Sienna n'entretenait pas des relations très cordiales avec la sœur d'Andreas à l'époque où elle vivait avec sa mère au domicile des Ferrante. Elle en était en grande partie responsable à cause d'une jalousie incontrôlée. Adorée de ses deux parents et de son frère aîné, Miette Ferrante avait tout ce qu'elle-même n'aurait jamais. Elle ignorait les soucis d'argent et pouvait s'offrir tout ce qui lui faisait envie. Après des études dans les meilleures écoles et à l'université, elle avait passé une année en Suisse pour parfaire son éducation et s'était installée à Londres, où elle avait rencontré son mari, issu comme elle de la plus haute société. Elle menait la vie dont Sienna aurait rêvé…

— Qu'est-ce que tu lui as dit ? demanda-t-elle.

— De ne pas se tracasser. Je sais me défendre.

Elle haussa les épaules.

— Tu peux la rassurer. L'argent m'intéresse, mais pas le château. Que ferais-je d'un endroit pareil ? Je n'aurais pas les moyens de l'entretenir et serais obligée de le vendre.

Andreas la fixa droit dans les yeux.

— En tout cas, que les choses soient bien claires entre nous, Sienna. Je ne me laisserai pas spolier de mon héritage. Même si tu essaies, tu n'y parviendras pas. Je tiendrai bon.

— Entendu. Mais je t'avertis moi aussi : tu ne m'impressionnes pas, avec tes grands airs et ta mauvaise humeur.

Andreas partit d'un ricanement moqueur.

— Cela te va bien de parler de ma mauvaise humeur ! Tu cherches la dispute depuis que tu as mis le pied dans cette pièce.

— C'est toi qui me provoques ! Pour commencer, ce n'est pas correct de m'imposer de dormir dans ton lit.

— Il est immense. Je ne m'apercevrai même pas de ta présence.

— Moi ou une autre, quelle importance, n'est-ce pas ? Il y en a eu tellement… Quelle classe, Andreas !

— Tu es jalouse ?

— Bien sûr que non ! J'ai juste peur que tu oublies qui est dans ton lit. Tu risques de prendre des libertés…

Cette fois, il éclata d'un rire franc.

— Tu parles comme un personnage de roman victorien ! Tu ne vas tout de même pas jouer les prudes après t'être montrée sur internet dans le plus simple appareil !

Sienna se détourna pour cacher ses joues cramoisies. Pourquoi Andreas lui rappelait-il cet épisode humiliant qu'elle regrettait tant ? Elle avait tellement honte, quand elle y pensait…

— Le dîner nous attend, déclara-t-il au bout d'un silence. J'espère que tu as faim ?

Elle fit son possible pour retrouver son mordant et son insolence.

— Effectivement, il vaut mieux se rabattre sur des banalités.

Le dîner fut extrêmement tendu. Sur des charbons ardents, Sienna en voulait à Andreas de toujours imaginer le pire à son sujet. Non, elle n'avait pas l'intention de le dépouiller de son héritage. D'ailleurs, si elle n'avait pas eu autant besoin d'argent pour prendre un nouveau départ dans la vie, elle serait déjà partie. Elle avait autant hâte que lui de recouvrer sa liberté.

Ce qui n'était pourtant pas tout à fait vrai, admit-elle en son for intérieur en jouant avec sa serviette. Andreas exerçait sur elle une fascination physique totalement indépendante de l'aversion qu'ils avaient l'un pour l'autre. D'ailleurs en ce moment même, comme chaque fois qu'ils étaient seuls tous les deux, l'atmosphère devenait orageuse, électrique.

Dès que leurs regards se croisaient, son cœur battait la chamade et quelque chose en elle, au plus profond, se déployait, comme une fleur qui s'épanouit.

— Un peu plus de vin ? proposa Andreas.

Elle couvrit son verre de sa main.

— Non, merci.

— Tu as peur de ne plus te contrôler ? railla-t-il.

Elle le défia du regard.

— Cela t'est déjà arrivé ?

Il fit mine de réfléchir.

— Non, jamais. Je suis toujours parfaitement maître de moi.

— Même pendant un rapport sexuel ? le provoqua-t-elle, sceptique.

Il continua à la fixer avec une intensité troublante.

— Naturellement, mon *self-control* se relâche au moment de l'orgasme, comme tout le monde.

Sienna devint écarlate. Il l'avait prise à son propre piège, elle n'avait eu que ce qu'elle méritait !

— Tu rougis, ma belle, observa-t-il avec un sourire.

— Pas du tout. J'ai très chaud, c'est tout.

Il se leva de table pour ouvrir les portes-fenêtres.

— Ça va mieux ?

Il avança vers elle. Ses yeux semblaient l'envelopper d'une douce caresse, comme s'il lui faisait déjà mentalement l'amour en imaginant leurs corps nus entremêlés.

Elle frissonna involontairement. Elle percevait presque sa présence virile à l'intérieur de son corps. Cela commença par une pulsation ténue, intermittente, qui augmenta en intensité jusqu'à devenir un battement assourdissant. Elle se contracta en retenant son souffle lorsque Andreas s'arrêta juste à côté de sa chaise. Il posa l'index sous son menton.

— Comment allons-nous nous débrouiller de cette situation délicate ? demanda-t-il.

Elle se leva sans réfléchir, comme s'il tirait sur les fils invisibles d'une marionnette.

— Je ne sais pas, murmura-t-elle. Faisons comme s'il n'y avait pas de problème…

Un sourire irrésistible, terriblement sexy, étira les lèvres d'Andreas.

— En théorie, c'est une bonne idée. Mais concrètement ?

Sienna humecta ses lèvres soudain sèches. Un sang brûlant coulait dans ses veines et des picotements lui chatouillaient le ventre.

— Je ne sais pas, répéta-t-elle avec une légèreté affectée. Tu as des suggestions ?

— Juste une, répondit-il de sa belle voix grave.

— J'espère que c'est la bonne, chuchota-t-elle tout bas.

— J'en suis convaincu.

Et, la saisissant par le bras pour la serrer tout contre lui, il se pencha pour prendre sa bouche. Il exerça d'abord une simple pression ; puis, par des petits mouvements hypnotiques, envoûtants, sa langue força le passage entre ses lèvres.

Ce fut comme une flamme embrasant d'un seul coup un tas de brindilles sèches. Le baiser d'Andreas se fit alors plus rude, impétueux. Ses mains glissèrent jusqu'à sa taille avant de se poser au creux de ses reins, fiévreusement. Sienna, envahie elle aussi par une urgence fébrile, se mit à onduler avec des mouvements instinctifs.

Andreas embrassait divinement, explorant sa bouche avec une impatience croissante. Elle sentait son pouls résonner en elle, comme si leurs rythmes cardiaques se mélangeaient. Son corps fondait pour l'accueillir, en dépit de toutes les objections que son esprit aurait pu formuler.

Quand Andreas commença à caresser ses seins, elle poussa un gémissement suppliant et se frotta davantage encore contre lui. Elle avait besoin de se perdre dans leur étreinte, totalement.

Comme s'il devinait ses désirs, il fit glisser sa robe sur son épaule et se pencha pour goûter la saveur de sa peau. Puis il dégrafa son soutien-gorge et elle se tendit pour offrir sa poitrine à sa bouche. Des milliers d'étincelles explosèrent en elle, étourdissantes. Andreas éveillait une frénésie vertigineuse qui dépassait tout ce qu'elle avait pu imaginer. Elle en avait les cheveux qui se hérissaient sur sa nuque.

Posant les mains sur son torse, Sienna entreprit de déboutonner sa chemise, en ponctuant de baisers chacun de ses gestes. Il laissa échapper un son guttural lorsqu'elle arriva au-dessous du nombril et défit la boucle de sa ceinture. Au contact de ses mains, d'abord hésitantes puis enhardies, il frémit et poussa un lent soupir.

Alors, prenant de nouveau sa bouche, il roula sur le sol avec elle, l'écrasant de tout son poids. C'était un baiser violent, presque sauvage, mais qu'elle partagea en s'y livrant tout entière. Sans quitter ses lèvres, Andreas acheva de lui enlever sa robe et ses sous-vêtements, dans un enchevêtrement impatient de bras et de jambes. Il eut à peine le temps de prendre un préservatif dans la poche de son pantalon. Il l'enfila d'une main sur son sexe tendu à lui faire mal et s'enfonça en Sienna d'une seule poussée. Elle poussa un cri.

Aussitôt, il se figea.

— Qu'y a-t-il ?

— Rien, dit-elle en détournant les yeux. C'est juste que… Cela fait longtemps.

Il lui souleva le menton de l'index pour l'obliger à le regarder.

— Combien de temps ?

Sienna se mordit la lèvre.

— Très longtemps…

— C'est-à-dire ?

Elle haussa les épaules en battant des cils, puis détourna le regard, comme gênée.

— Je ne me souviens pas.

— Mais tu avais une vie sexuelle épanouie avec ton mari, non ?

Sienna secoua lentement la tête. Elle ne se sentait pas la force de mentir.

— Je n'ai jamais couché avec Brian.

— Quoi ? s'exclama Andreas.

Il avait pâli, visiblement estomaqué.

— C'était un mariage de convenance, expliqua-t-elle. Socialement, Brian avait besoin d'une épouse. Et moi, j'avais envie de respectabilité. C'était un accord mutuel qui nous satisfaisait tous les deux.

Andreas se retira immédiatement et se releva, dans un état de grande agitation. Il referma son pantalon, puis lui tendit sa chemise.

— Mets cela pendant que je ramasse tes affaires, lança-t-il d'une voix bourrue.

Sienna obtempéra, heureuse de se glisser dans l'odeur qui imprégnait la chemise. Pendant ce temps, il récupéra ses habits éparpillés un peu partout, les empila avec un soin méticuleux et les lui donna. Il avait le front plissé, comme s'il avait du mal à enregistrer ce qu'elle venait de lui apprendre.

— Je t'ai fait mal, dit-il gravement. Je suis désolé.

— Mais non ! Ne t'inquiète pas.

— Pourquoi ne m'as-tu prévenu ?

— De toute façon, tu ne m'aurais pas crue. Avec ma réputation de fille facile, ma parole ne fait pas le poids.

— Pourquoi laisses-tu la presse à sensation raconter n'importe quoi ? Tu devrais te défendre.

— Ce que pensent les gens m'est complètement égal. Je sais que ce n'est pas vrai. Cela me suffit.

— Tu as vraiment fait un mariage blanc avec Brian Littlemore ? Il t'exhibait à son bras avec une telle fierté… C'était juste une façade ?

Sienna regrettait à présent de ne pas avoir tenu sa langue. Que lui arrivait-il ? Pareille franchise était dangereuse. Elle ne pouvait pas dévoiler le secret de Brian. Elle avait juré à son mari, sur son lit de mort, de garder le silence, car il ne voulait pas que ses trois enfants souffrent en apprenant sa véritable orientation sexuelle — il était homosexuel avant même son premier mariage.

En tout cas, elle devait faire plus attention. Andreas avait une intelligence bien trop aiguë pour s'accommoder de demi-vérités.

— Je préfère ne pas en parler, déclara-t-elle. Brian a toujours été adorable. Je ne regrette pas de m'être mariée avec lui. Il s'est bien occupé de moi.

— Mais il avait une maîtresse ! Il t'a trompée continuellement !

— Je t'ai dit que je ne voulais pas en parler.

Andreas l'étudia pendant un long moment, comme s'il cherchait à percer une énigme.

— Tu l'as épousé peu de temps après le scandale de la vidéo postée sur le Net. A peine quelques semaines après, n'est-ce pas ?

— Oui. Et alors ?

— Que s'est-il passé cette nuit-là ? Qu'est-il arrivé

pour que tu t'enfuies brusquement et que tu épouses un homme qui avait presque quarante ans de plus que toi ?

Sienna baissa les yeux, le cœur lourd et plein de regrets. Elle avait causé un tel gâchis dans la vie de sa sœur… Il était peut-être temps de se libérer un peu de sa culpabilité.

— J'étais sortie avec des amies. Les filles que je fréquentais avaient l'habitude de boire. Beaucoup plus que moi. Je me suis sans doute laissé entraîner et je ne me souviens pas de grand-chose. Sauf que je me suis réveillée dans une chambre d'hôtel, au lit avec un inconnu. J'ai eu tellement honte ! C'est cet incident qui m'a valu ma réputation déplorable. En réalité, je n'avais eu que deux petits amis et pratiquement pas de relations sexuelles. D'après les critères d'aujourd'hui, j'étais pratiquement vierge.

— On t'avait peut-être droguée ? suggéra Andreas.

— L'idée m'a effleurée. Mais je suis quand même fautive. J'ai commis une imprudence et j'aurais dû mieux choisir mes amies. Jusque-là, j'étais toujours celle dont on se moquait parce qu'elle gardait la tête froide. Elles ont eu leur revanche, en quelque sorte !

— Sienna, tu as été victime d'une agression. Pourquoi n'as-tu pas porté plainte ?

— Qui m'aurait crue ? Telle mère, telle fille, aurait-on dit. De toute manière, j'ignore si on m'a réellement agressée. La vidéo me montrait nue en train d'embrasser un homme, nu lui aussi…

— Personne n'avait le droit de la diffuser ! la coupa Andreas, révolté. Et je ne comprends pas pourquoi tu as gardé le silence lorsqu'on a reconnu ta sœur à ta place.

— Je n'ai rien su de cette histoire, déclara-t-elle. Dès que j'ai repris mes esprits, dans cette chambre d'hôtel inconnue, j'ai sauté dans le premier avion pour quitter le pays. C'est à ce moment-là que Brian est entré dans ma vie. Je lui ai téléphoné de l'aéroport, complètement chamboulée. Je l'avais rencontré à une fête, deux ans plus tôt, et nous étions aussitôt devenus d'excellents amis. Il se montrait très paternel avec moi, qui n'avais pas eu de père, justement. Dans un premier temps, il m'a hébergée. Puis, quand il m'a proposé le mariage, je n'ai pas hésité une seule seconde. J'avais trop besoin de protection et de sécurité.

Andreas plongea son regard dans le sien.

— Mais pourquoi n'as-tu jamais démenti toutes les calomnies qui circulaient sur ton compte dans la *jet-set* ?

Sa belle assurance était en train de se craqueler. La gentillesse presque tendre d'Andreas avait raison de ses défenses.

— Pouvons-nous abandonner le sujet ? dit-elle. C'est du passé, maintenant. Je ne veux plus y penser.

— Sienna, tu ne peux pas balayer cette histoire d'un simple revers de la main. Tout le monde te prend pour une aventurière et une dévergondée, alors que tu n'es rien de tout cela.

Elle recouvra un peu de mordant.

— Même si je n'ai pas des mœurs dissolues, je reste très intéressée par l'argent.

Il la considéra d'un air perplexe.

— Pourquoi te dénigres-tu constamment ? Que gagnes-tu à présenter aux autres une apparence détestable ?

— C'est plus facile ainsi. Pour tout le monde, et surtout pour moi. Regarde tout à l'heure, par exemple ; j'étais prête à coucher avec toi alors que je te déteste.

Andreas continua à scruter son visage pendant très longtemps. Dans la poitrine de Sienna, son cœur était prêt à exploser. Quand il passa le bout du doigt sur sa joue, elle eut envie de se hisser sur la pointe des pieds pour se blottir au creux de son épaule.

— Même si tu ne me détestais pas avant, j'ai malheureusement tout fait pour que cela devienne réalité, dit-il tristement. Je me suis comporté comme une brute.

— N'exagère pas, répondit-elle, essayant de paraître désinvolte alors qu'elle avait la gorge nouée.

— Tu connais le nom de cet homme ? demanda Andreas. Celui qui a filmé cette vidéo.

Une panique sans nom s'empara d'elle.

— N'insiste pas, Andreas, je t'en prie ! Giselle est sur le point de se marier. Je ne voudrais pas qu'un nouveau scandale l'éclabousse. Je me demande ce que raconteraient encore les journalistes *people* si la justice s'en mêlait maintenant. Je préfère enterrer cette histoire définitivement.

— Sienna, il faut parfois affronter les ennuis au lieu de fuir.

Elle redressa le menton.

— Je ne me dérobe pas. Je vais de l'avant, pour moi et pour Giselle.

Il tendit la main vers elle et repoussa une mèche de cheveux derrière son oreille. Elle frissonna, encore électrisée par le désir qu'il avait éveillé dans sa chair. A quoi cela ressemblait-il d'être possédée par cet homme ? De connaître la passion entre ses bras ? De se perdre avec lui dans l'abandon des corps ?

Une tension érotique emplit le silence et résonna en elle. Sienna la voyait dans les pupilles dilatées d'Andreas, qui dardait sur elle un regard brûlant. Son cœur s'arrêta de battre lorsqu'il suivit du bout du doigt le dessin de ses lèvres. Frémissante, elle se tendit vers lui de tout son être.

Mais il laissa brusquement retomber sa main et son visage, en même temps, se ferma.

— Pour le moment, il est préférable de garder nos distances, déclara-t-il. Je dormirai dans une chambre d'amis.

Sienna se dissimula derrière une attitude sarcastique.

— Aurais-tu peur de t'attacher à moi maintenant que je suis devenue plus fréquentable à tes yeux ?

Il soutint son regard avec une détermination implacable.

— Je veux ce château, Sienna. Je suis prêt à tout pour parvenir à mes fins. Ni toi ni moi n'avons besoin de nous compliquer l'existence avec une relation qui nous a été imposée pour des motifs que nous ignorons. Sans le testament de mon père, il ne me serait jamais venu à l'idée d'avoir une liaison avec toi — sans parler de t'épouser. J'imagine qu'il en va de même pour toi.

— Absolument. Tu es la dernière personne au monde avec laquelle je songerais à me marier. Nous n'en finirions pas de nous disputer et la vie quotidienne serait un enfer. Tu es trop maniaque.

— Et toi horriblement brouillonne et désordonnée.

— Cela vient probablement de l'enfance que j'ai eue, expliqua-t-elle. Je l'ai passée à faire et défaire mes valises. Maman se faisait renvoyer de partout. Je ne sais même plus combien d'écoles j'ai fréquentées. C'est dans ta famille que nous sommes restées le plus longtemps. J'avais envie que cela dure toujours.

Andreas lui prit la main.

— Je n'avais pas la moindre idée des difficultés que tu vivais, fit-il d'une voix bienveillante. Je comprends mieux maintenant pourquoi tu étais si insupportable : tu manquais de sécurité.

— Je ne devrais pas me plaindre, répondit-elle en tâchant d'ignorer les picotements qui remontaient le long de son bras. Beaucoup de gens doivent surmonter des situations pires que la mienne.

Andreas se pencha pour déposer un baiser sur chacun de ses doigts.

— Je vais te laisser dormir. As-tu besoin de quelque chose ? Je peux te faire couler un bain chaud, peut-être ?

Touchée par ses attentions, Sienna se sentit tout à coup délicate et féminine.

— Non, merci, c'est gentil, répondit-elle en abandonnant son attitude agressive.

Pendant qu'il la regardait, elle se demanda s'il parvenait à lire en elle, derrière la façade qu'elle avait de plus en plus de mal à composer. Ce bref moment d'intimité physique avait déséquilibré leurs relations et elle n'était pas certaine de pouvoir revenir en arrière. Une digue s'était rompue, libérant une énergie et une sensualité qui menaçaient de l'entraîner comme un tourbillon si elle n'y prenait pas garde.

— Ce qui s'est passé ce soir…, commença Andreas.

Il s'interrompit et fronça les sourcils, comme s'il cherchait ses mots.

— Je ne sais pas comment me rattraper, poursuivit-il. Non seulement je t'ai mal jugée et mal comprise, mais je t'ai insultée. J'espère que tu auras la générosité de me pardonner.

— Waouh ! J'adore l'aspect de ta personnalité que tu es en train de me dévoiler. Finalement, je vais peut-être cesser de te détester si tu continues comme cela pendant les six prochains mois.

— Tu ne me détestes pas, *cara*.

— Tu ne penses tout de même pas que j'ai conservé au chaud toutes ces années mon béguin d'adolescente ? Beaucoup de temps a passé depuis, Andreas. Même si je n'ai pas énormément d'expérience, je ne t'ai pas attendu.

— Pourquoi n'as-tu jamais eu de relation sérieuse ? Ce ne sont sûrement pas les occasions qui ont manqué. Les hommes sont tous à tes pieds.

— J'ai trop vu ma mère enchaîner des histoires sans intérêt qui la détruisaient peu à peu. J'étais obligée de recoller les morceaux, comme si c'était moi l'adulte. Du coup, j'ai peur de m'attacher à quelqu'un qui risque de m'abandonner. En plus, je veux être appréciée pour autre chose que mon physique. J'ai des rêves et des aspirations. Je ne suis ni écervelée ni narcissique. Malheureusement, beaucoup d'hommes s'arrêtent aux apparences.

Andreas lui caressa la joue, très légèrement, en la frôlant à peine.

— Tu es très compliquée, *cara*…

— Pas plus qu'une autre. Ou que toi.

Andreas eut un petit sourire.

— Finalement, nous avons peut-être plus de ressemblances que de différences.

— Non, nous n'avons rien en commun, souffla-t-elle.

— Tu as peut-être raison…

Il s'éloigna et ouvrit la porte. Il s'arrêta sur le seuil et se retourna vers elle.

— Appelle-moi si tu as besoin de quelque chose.

Elle hocha la tête.

— Bonne nuit, Andreas.

Elle n'eut d'autre réponse que le bruit de la porte qui se refermait.

8.

Andreas faisait les cent pas depuis des heures. Le parfum de Sienna lui collait à la peau. Il avait encore le goût de ses baisers dans la bouche malgré les trois whiskys qu'il avait bus depuis.

Il était encore sous le choc, interloqué par ce qu'il avait appris. A peu près tout ce qu'il pensait de Sienna était faux. Loin de s'être prostituée en se mariant par intérêt, elle n'avait jamais eu de relations sexuelles avec son mari… Cela paraissait incroyable.

Mais ce n'était pas tout. Il était également abasourdi par son inexpérience. A vingt-cinq ans, elle n'avait eu que deux partenaires sexuels, malgré une réputation de joyeuse fêtarde qu'elle n'avait jamais essayé de corriger. Les circonstances dans lesquelles avait été tournée la vidéo érotique l'avaient considérablement affectée, mais elle le cachait derrière une attitude insolente et agressive. Elle jouait les provocatrices pour ne pas montrer combien elle était vulnérable.

Andreas se sentait coupable. Dominé par ses pulsions, il l'avait traitée comme une fille de rien. Même si elle était consentante, cela ne le rendait pas moins responsable.

Il lui avait fait mal, physiquement.

Il poussa un soupir désespéré. Il avait agi exactement comme son père, qui assouvissait ses désirs sans se soucier des conséquences. Il serra ses tempes entre ses mains. Etait-ce là ce que son père avait voulu lui enseigner ? Qu'il était parfois impossible de résister à la concupiscence ?

Andreas avait pourtant soigneusement dissimulé son attirance envers Sienna. Au prix d'une discipline sévère, il l'avait totalement ignorée à chacune de ses visites ou s'était appliqué à la traiter comme une enfant. Il avait vu peu à peu s'épanouir l'adolescente de quatorze ans, qui s'était métamorphosée en sirène sensuelle et tentatrice. En repoussant ses avances, il avait obéi à son sens de l'honneur. Mais il se demandait parfois si ce rejet n'avait pas joué un rôle déterminant dans la construction de son personnage, comme un défi pour sauver la face.

A dix-huit ans, elle avait déjà une réputation solidement établie dans le paysage de la vie nocturne londonienne et fréquentait assidûment les night-clubs à la mode.

Puis, à l'âge de vingt-deux ans, elle s'était subitement mariée à un homme assez vieux pour être son grand-père. La presse à scandale l'avait dépeinte sous les traits d'une arriviste et d'une aventurière sans scrupules. Lui-même en avait été persuadé et avait jugé son attitude moralement inacceptable.

Il était à présent bourrelé de remords.

Sienna n'était pas du tout celle qu'il avait cru. Derrière la façade qu'elle avait érigée pour se défendre se cachait une jeune femme sensible et fragile. Elle ne ressemblait pas à sa mère.

Nell Baker était une femme avide, sans aucun sens des convenances, alors que Sienna était fière et orgueilleuse.

Toutes les insultes qu'il lui avait jetées au visage revinrent le hanter. Heureusement, elle avait de la repartie et avait répondu vertement, sans se laisser faire. Il avait toujours pris plaisir à ces échanges verbaux, qui remontaient aussi loin qu'il se souvienne.

Il ferma les paupières en se rappelant les sensations de

douceur soyeuse dans lesquelles il avait plongé. Un désir sourd et lancinant le tenaillait, refusant de s'estomper.

Il la voulait.

Il connaissait pourtant bien les plaisirs de la chair. Mais Sienna l'attirait comme une drogue puissante, impérieuse.

Il inspira profondément tout en contemplant les vastes étendues du domaine sous le clair de lune. Dans six mois, cette magnifique propriété lui appartiendrait. Sienna toucherait sa part et il hériterait de son dû.

Elle avait grand besoin de cet argent : elle était sans travail et avait épuisé les maigres ressources que lui avait laissées son défunt mari. Cela suffisait pour qu'elle reste jusqu'à la fin. Si en prime ils vivaient une aventure, ce n'était pas à dédaigner.

Andreas ferma les rideaux d'un geste énergique.

Garder Sienna pendant six mois ne serait peut-être pas un problème. Finalement, la plus grande difficulté serait peut-être de la laisser repartir ensuite…

Sienna fut réveillée par un coup frappé à sa porte. Elle s'assit dans le lit en repoussant ses cheveux en arrière.

— Entrez.

C'était Andreas, qui lui apportait un plateau avec des croissants et du café chaud.

— Tu aimes prendre le petit déjeuner au lit ? demanda-t-il.

— Est-ce une autre tradition du château de Chalvy ?

— Absolument, répondit-il avec un sourire.

— Je crains de te décevoir. Je suis incapable de boire du café au réveil. Je suis sans doute incorrigiblement britannique, mais je ne peux pas me passer de thé.

Il roula des yeux d'une façon comique.

— J'aurais dû m'en douter. Je reviens dans cinq minutes.

En attendant son retour, Sienna grignota un bout de croissant. Elle avait très mal dormi. Son corps avait vibré de désir pendant des heures. Et lorsque le sommeil était enfin venu, elle avait rêvé d'Andreas, de sa bouche et de ses mains qui lui donnaient du plaisir.

En serrant les jambes, elle perçut une petite douleur intime qui la remplit d'émoi. Elle posa une main sur son ventre. Au lieu de diminuer, la sensation s'intensifia.

Andreas réapparut quelques minutes plus tard avec une théière.

— Votre thé, Madame, annonça-t-il en s'inclinant.

— Je te trouve bien poli et cérémonieux, le taquina-t-elle.

— J'ai peut-être des choses à me faire pardonner.

Elle remplit sa tasse en évitant soigneusement de croiser son regard.

— Tu n'as pas à te sentir coupable, dit-elle. Oublions ce qui s'est passé.

— Regarde-moi, Sienna.

Elle obtempéra à contrecœur. Il était rasé de frais mais avait l'air fatigué, avec les yeux cernés. Etait-il lui aussi resté éveillé une partie de la nuit à cause de désirs inassouvis ? Avait-il rêvé d'elle ? Il était difficile de deviner ce qu'il pensait ou ressentait. Il ne se montrait jamais très expansif.

Il lui caressa la joue.

— J'ai enfreint les règles que nous nous étions fixées. C'est une erreur qui ne se reproduira pas, sauf si tu en exprimes le désir. Car si tu as envie d'une liaison avec moi durant ces six mois, je reconsidérerai évidemment la question.

Bien sûr, songea cyniquement Sienna. Il voulait bien se distraire un peu avec elle, comme Guido Ferrante avec sa mère. Mais, à la fin, il la quitterait sans l'ombre d'un regret. Et il n'attendrait pas longtemps avant d'épouser une femme de son milieu, qui lui donnerait de beaux enfants.

Comment supporter cela ? Probablement comme tout le reste : avec courage et en feignant l'indifférence… Mais pourquoi ne pas plutôt essayer de le battre à son propre jeu ? Lorsque arriverait l'échéance, elle pourrait partir sans regrets, du moins en apparence.

— Il vaut mieux nous en tenir à notre première décision et garder nos distances, déclara-t-elle prudemment.

S'il fut surpris ou déçu, il n'en montra rien.

— Très bien. Je serai occupé avec Jean-Claude toute la journée. Je ne te verrai probablement pas avant ce soir.

— Ne t'inquiète pas pour moi, je trouverai à me distraire.

— J'ai remarqué ton appareil photo, l'autre jour. Je t'imaginais plutôt devant l'objectif que derrière.

— Cela prouve à quel point tu me connais mal.

Il resta un instant à l'observer.

— Quelqu'un connaît-il la vraie Sienna ?

Elle haussa les épaules.

— J'ai des amis.

— Cela ne veut rien dire. On peut avoir des centaines d'amis sans vraiment dévoiler qui on est quand on est seul.

— Et toi, Andreas, qui es-tu quand tu es seul ? Mais peut-être ne l'es-tu jamais ? Tu as toujours une femme ravie de te tenir compagnie ou un domestique docile pour satisfaire le moindre de tes caprices.

— Etre riche n'a pas que des bons côtés. Effectivement, on est rarement seul. Mais on se demande parfois si les gens ne sont pas surtout attirés par votre argent.

— Si j'avais le choix, j'échangerais sans hésiter ta vie contre la mienne, déclara-t-elle. L'argent résout tous les problèmes.

— Le crois-tu vraiment ? Cela ne suffira pas à te rendre heureuse, tu sais.

— Je te répondrai dans sept mois, lança-t-elle avec un sourire provocant. Remarque, si j'avais un château en prime, ce serait encore mieux !

Andreas pinça les lèvres.

— Tu ne l'auras pas.

— Détends-toi, je plaisante !

— Si tu parles à quelqu'un aujourd'hui, souviens-toi que tu es en lune de miel, recommanda-t-il en plissant le front.

— C'est toi qui saisis le premier prétexte pour t'éclipser ! lui reprocha-t-elle avec une moue de coquetterie.

Il revint aussitôt vers elle.

— Tu as changé d'avis ?

Un petit frisson redoutable — mais en même temps très agréable — courut le long de son dos.

— Non, dit-elle. Tu ne peux pas me donner ce que je veux.

Il lui prit le visage entre ses mains.

— Quoi donc, Sienna ? Une promesse d'amour éternel ?

Elle se força à ne pas baisser les yeux.

— Non, bien sûr. Ce n'est pas ton genre, ni le mien.

Il passa lentement le pouce sur sa lèvre inférieure.

— Nous pourrions être très bien ensemble pour quelques mois, *cara*. C'est un peu dommage de ne pas profiter de la situation. Nous sommes seuls tous les deux et légalement mariés. Pourquoi ne pas explorer les possibilités qui s'offrent à nous ?

Sienna était incapable de penser de façon cohérente lorsqu'il la regardait ainsi, avec des yeux pleins de promesses sensuelles. Elle avait envie de lui, même en sachant que cela finirait mal. Combien de temps encore pourrait-elle dire non, surtout après les délicieuses prémices de la veille au soir ?

Elle retint son souffle quand il se pencha vers elle, avec une lenteur inexorable. La douce pression de ses lèvres éveilla aussitôt un tourbillon de sensations, ainsi que des picotements dans toutes ses terminaisons nerveuses. Quand il s'écarta, elle essaya de le retenir, l'espace d'une infime fraction de seconde.

Son corps semblait déterminé à la trahir, une fois de plus...

Même si elle persistait à prétendre le contraire, un désir inextinguible la rongeait, que seul Andreas saurait satisfaire. Il en était ainsi depuis toujours. Aucun homme ne faisait battre son cœur comme lui. Personne d'autre ne la jetait dans ces abîmes d'égarement. Elle avait besoin de connaître l'amour physique avec lui.

— Tu n'as vraiment eu que deux expériences ? demanda-t-il sans la quitter des yeux.

— Oui. Même si la presse *people* a fait de moi une hédoniste déchaînée, le sexe ne m'a jamais passionnée. Au contraire, cela me rend plutôt mal à l'aise.

— Sans doute n'as-tu pas rencontré la bonne personne. Il faut savoir prendre son temps les premières fois, apprendre à connaître le corps de l'autre. Chacun a son rythme propre. J'ai précipité les choses, hier soir, parce que je te croyais plus avertie. Mais ce ne sera pas pareil la prochaine fois. Je ferai attention.

Intérieurement, Sienna tremblait d'impatience. Mais pouvait-elle sans risque se jeter à corps perdu dans une aventure avec Andreas ? Saurait-elle garder la tête froide, et surtout ne pas s'impliquer sentimentalement ?

Elle était partagée, de plus en plus tentée toutefois.

— Tu as l'air bien sûr de toi. N'est-ce pas un peu présomptueux de ta part ?

— Ce n'est pas de l'arrogance, mais de la confiance, déclara-t-il. D'ailleurs, nos relations seront d'autant plus explosives qu'elles ne sont pas destinées à durer longtemps.

Ce n'était pas exactement la réponse qu'elle attendait…

— T'est-il arrivé de rester avec une femme plus d'un mois ou deux ?

— Parfois, oui.

— Et comment était-ce avec Portia Briscoe, que tu te préparais à épouser ? Elle aurait fatalement fini par t'ennuyer. Aurais-tu pris une maîtresse, comme ton père ?

— Contrairement à lui, je n'avais pas juré fidélité à Portia. En tout cas, elle était prête à assumer son rôle d'épouse.

— Ta gouvernante pense que ce n'est pas la femme qu'il te faut. Et, franchement, je suis d'accord avec elle.

Il ricana.

— Tu te crois peut-être meilleure candidate ?

— Moi non, mais ton père le croyait sans doute. Sinon pourquoi aurait-il imaginé ce stratagème ? Il souhaitait probablement t'obliger à réfléchir avant de t'enfermer dans un mariage sans amour.

— Me contraindre à épouser une femme que je hais n'est pas la meilleure méthode.

— C'est seulement pour six mois, lui rappela-t-elle.

Andreas s'absorba un instant dans ses pensées.

— En fait, c'était beaucoup plus facile de te haïr quand j'avais une piètre opinion de toi. A présent, cela me paraît injuste d'entretenir des sentiments aussi négatifs.

— Attention, Andreas ! lança-t-elle avec un sourire provocant. Ne serais-tu pas en train de tomber un tout petit peu amoureux de moi ?

— Ne t'inquiète pas, cela ne m'arrivera pas plus qu'à toi, répliqua-t-il avec une expression indéchiffrable. Ce que nous éprouvons l'un pour l'autre est purement physique. Et, à mon avis, plus vite cela se consumera, mieux cela vaudra.

A ces mots, sans rien ajouter, il tourna les talons et s'en alla.

Sienna revenait de photographier les champs de lavande quand elle aperçut Andreas au loin, en train d'inspecter son vignoble.

Elle leva son appareil et zooma pour prendre plusieurs clichés de lui, concentré sur sa tâche, froissant une feuille de vigne entre les doigts, plissant les yeux contre les rayons du soleil couchant. Se sentant sans doute observé, il regarda dans sa direction puis s'approcha à grandes enjambées.

En observant sa démarche virile et pleine d'assurance, Sienna se rappela instantanément qu'il avait pénétré son intimité de femme. Elle eut de nouveau envie de le sentir en elle.

— Tu veux bien me montrer tes photos ? demanda-t-il en arrivant à sa hauteur.

Elle ne décela aucune animosité dans son ton. Elle se plaça à côté de lui et fit défiler ses clichés sur l'écran.

— Tu fais un très bon modèle tant que tu n'as pas conscience de la présence de l'objectif, expliqua-t-elle. Comme la plupart des gens. C'est très difficile d'avoir des photos naturelles autrement.

— Tu es douée, dit-il. Depuis combien de temps t'exerces-tu ?

— Quelques années.

Il lui prit l'appareil des mains pour regarder plus en détail ses anciennes photos.

— Tu as du talent. C'est juste un loisir ou tu as l'intention d'en faire un métier ?

— J'ai perdu mon travail de secrétaire à la mort de Brian. Sa famille m'a licenciée. Du coup, j'ai envie de m'établir à mon compte au lieu d'être toujours à la merci d'un patron. Je ne réussirai peut-être pas, mais je veux au moins essayer. Jusqu'à maintenant, je n'avais aucune chance de pouvoir m'acheter du bon matériel et de louer un studio. Mais, dans six mois, ce sera complètement différent !

— Pourquoi m'as-tu fait croire que tu voulais juste faire la fête et vivre dans l'oisiveté ?

— Rien ne dit que mes projets marcheront. Je ne me fais pas d'illusions, je n'ai pas plus de talent que beaucoup d'autres.

— Où aimerais-tu t'installer ?

— A Londres. Mais cela ne m'empêchera pas de voyager. J'adorerais éditer un beau livre, du genre de ceux qu'on exhibe sur les tables basses dans les demeures élégantes.

Avec un sourire, elle ajouta :

— Tu pourrais dire à tout le monde que tu m'as connue avant que je sois célèbre.

— C'est un beau projet. Je ne doute pas de ton succès.

Elle glissa une mèche de cheveux derrière son oreille.

— Et toi, que feras-tu une fois que tu seras propriétaire de ce château ? Vivras-tu ici ou à Florence ?

— Je ne suis pas encore certain d'en hériter, dit-il avec circonspection. J'aviserai le moment venu.

Sienna fronça les sourcils.

— Tu ne me fais vraiment pas confiance…

— Ce domaine représente au moins cinq ou six fois la valeur de la somme que tu toucheras. Je peux avoir quelques doutes…

— En effet, répondit-elle en lui jetant un regard noir.

Il poussa un soupir irrité.

— Sienna, même si je reconnais avoir commis des erreurs de jugement par le passé, rien ne me garantit que tu respecteras les clauses de notre contrat. Nous sommes mariés depuis moins d'une semaine. Qui sait dans quelles dispositions d'esprit tu seras dans six semaines ou dans six mois ?

— Je te détesterai toujours autant.

— Eh bien, tant mieux. Cela nous facilitera le divorce.

Andreas rangeait leurs bagages dans le coffre de la voiture. Sienna ne réalisait toujours pas qu'ils quittaient le château de Chalvy, après seulement une nuit sur place. Il l'avait prévenue de leur départ au dernier moment, par l'intermédiaire de Simone.

— Pourquoi repartons-nous si vite ? Nous devions rester deux ou trois jours.

— Je suis rassuré sur la manière dont les Perrault gèrent le domaine, répondit-il. Puisque tout va bien ici, je préfère retourner à Florence m'occuper de mes affaires.

— Tu n'as pas peur qu'on jase parce que nous écourtons notre lune de miel ?

Il lui lança un regard énigmatique.

— Je fais au mieux, pour nous deux.

Andreas partait tôt le matin et rentrait tard le soir, sans se soucier d'elle le moins du monde. Depuis leur retour de France, Sienna ne le voyait pas beaucoup. Loin de se sentir bienvenue, elle avait l'impression d'être tout juste tolérée.

Elle avait compris qu'il avait planifié avec un soin méticuleux une existence où elle n'avait pas sa place. Elle était la dernière femme au monde qu'il aurait songé à épouser et le testament de son père avait tout boule-versé. Le bref instant d'intimité qu'ils avaient partagé avait pourtant failli changer beaucoup de choses. Mais, depuis cette nuit-là, Andreas gardait ses distances.

Sienna s'interrogeait. Avait-il déjà pris une maîtresse ? Des centaines de femmes étaient prêtes à s'offrir à lui.

Comment devait-elle réagir ? Fallait-il faire semblant de rien jusqu'à la fin de leur arrangement ? Andreas la mettait-il délibérément à l'épreuve pour la faire craquer ? Après tout, c'était elle qui avait le plus à perdre dans cette histoire. Elle l'avait déçu sur le plan sexuel. N'ayant plus aucun bénéfice à tirer de la situation, il avait peut-être décidé de la pousser à bout pour se débarrasser d'elle au plus vite.

Elena, qui avait certainement remarqué qu'ils faisaient chambre à part, mentionna un projet important sur lequel il travaillait pour un industriel américain, et qui l'accaparait.

— Quand il est lancé, il est capable d'y passer ses jours et ses nuits. Mais une fois que ce sera fini, il pourra se détendre, *sì* ? Il vous emmènera sûrement quelque part pour un vrai voyage de noces. Vous devez vous sentir un peu seule.

— Heureusement que j'ai Scraps pour me tenir compagnie.

Elena eut un sourire indulgent.

— Ce sera plus agréable quand vous aurez un *bambino* ou deux pour vous occuper, *sì* ?

Sienna chassa très vite de son esprit l'image d'un chérubin aux boucles brunes pour se concentrer sur la coquette somme d'argent qu'elle aurait bientôt sur son compte en banque.

C'était le but qu'elle poursuivait, et non une vie de famille avec des bébés.

Un après-midi, Elena la prévint qu'Andreas avait prévu de dîner avec elle, pour la première fois depuis une bonne semaine. Lorsqu'elle entra dans le *salone,* Andreas buvait un apéritif. Il regarda ostensiblement sa montre.

— Je commençais à me demander si tu n'allais pas manger dans ta chambre…

— J'y ai songé, répliqua-t-elle d'un ton hautain. Mais je préfère t'imposer ma présence, puisque tu m'as délibérément évitée toute la semaine.

— Tu te sens négligée ? ironisa-t-il en lui tendant un verre de vin blanc.

— Pas du tout. Néanmoins, ta gouvernante doit se poser des questions.

— Je l'emploie pour s'occuper de la villa, pas pour s'interroger sur ma vie privée. D'ailleurs, je la renverrais immédiatement si elle se permettait la moindre remarque déplacée. Pourquoi ne te sers-tu pas de la voiture que je t'ai offerte si tu t'ennuies ?

— Je ne m'ennuie pas. Je suis juste un peu mal à l'aise parce que je ne sais pas vraiment jouer la comédie.

— Si tu veux normaliser la situation, il te suffit de venir dans mon lit ce soir.

Décontenancée, elle but une gorgée de vin.

— Comment peux-tu me proposer cela aussi froidement, sans la moindre émotion ?

— L'émotion n'a rien à voir avec l'attirance physique.

— As-tu déjà été amoureux ?

— Non. Pas parce que je ne crois pas à l'amour. Ce sentiment existe, j'en ai parfois été témoin chez les autres. Mais je n'ai jamais connu ce degré d'attachement. Et toi ?

— Ma jumelle a sans doute hérité des gènes sentimentaux. Je n'ai jamais vu deux personnes plus amoureuses que Giselle et Emilio. D'ailleurs, ils se marient dans trois semaines. Tu n'as pas oublié, j'espère ?

— Non. J'ai même hâte de les rencontrer tous les deux ; surtout ta sœur.

— Nous ne nous ressemblons pas du tout. Sauf pour le physique, bien sûr.

— Vous devez avoir d'autres choses en commun.

— Pas vraiment. Ce qui ne m'empêche pas de l'aimer énormément. Elle est adorable. Mais nous n'avons pas eu les mêmes parents, ni les mêmes expériences. Nous n'avons pas non plus les mêmes aspirations. Je me demande ce qui aurait changé si nous avions grandi ensemble. Mais je ne le saurai jamais, évidemment.

Andreas étudia longuement ses traits, comme s'il cherchait à les graver dans sa mémoire.

— Je ne sais pas si je serai capable de vous différencier…

— Laisse-moi te donner quelques indices, plaisanta Sienne. Ma sœur sera en blanc et arborera un large sourire épanoui. Oh ! et elle aura aussi une alliance en diamants assortie à la somptueuse bague de fiançailles qu'Emilio lui a déjà offerte.

— Justement, pendant que j'y pense…

Il posa son verre et sortit un écrin de sa poche.

— Tu la reconnaîtras peut-être. Elle a appartenu à ma mère, qui la tenait de ma grand-mère.

Sienna découvrit un beau bijou ancien, un saphir serti de diamants, qu'elle avait en effet souvent admiré au doigt d'Evaline Ferrante.

Perplexe, elle fit la moue.

— Tu ne préférerais pas la garder pour ta future épouse ?

— Si elle ne te plaît pas, tu en choisiras une autre.

Elle ne sut pas trop comment interpréter la sécheresse soudaine de son intonation.

— Elle est magnifique. Mais je te la rendrai quand nous divorcerons.

— Très bien. J'ai remarqué que tu n'avais pas beaucoup de bijoux. Qu'as-tu fait de tous ceux que Littlemore t'a offerts ?

— Je les ai redonnés à sa famille. Cela me gênait de les garder.

Il l'observa pensivement.

— A lire les articles de presse, j'ai eu l'impression

que ses enfants ne t'ont jamais vraiment acceptée. Ils ont parfois eu des commentaires au vitriol à ton sujet.

— C'est normal. Ils adoraient leur mère, Ruth, et m'en ont voulu de prendre sa place.

— Auraient-ils mieux accueilli sa maîtresse ?

Elle détourna les yeux, peu désireuse d'aborder de nouveau ce sujet avec Andreas.

— Non.

— Pourtant, cette relation durait depuis très longtemps. C'est bizarre que Littlemore ait proposé de t'épouser *toi*, et pas elle.

Sienna se contenta de hausser les épaules.

— Tu es très loyale envers lui, remarqua Andreas.

— Je le lui dois bien. Il a été très gentil avec moi. Tu n'imagines pas à quel point.

— Mais ce n'est pas la seule raison. Cette question me tracasse depuis plusieurs jours. Pourquoi s'est-il marié avec une femme plus jeune que ses filles au lieu d'épouser la maîtresse qu'il avait depuis des années ?

— Elle était peut-être déjà mariée, suggéra Sienna, une boule d'angoisse dans le ventre.

— Ce n'est pas la bonne explication, n'est-ce pas ?

Elle resta silencieuse. Son cœur battait très rapidement tandis qu'Andreas scrutait son expression. Il devenait de plus en plus difficile de lui cacher quoi que ce soit. Il semblait lire en elle.

— Brian Littlemore n'avait pas une liaison avec une femme, mais avec un homme, affirma-t-il tout à trac.

— C'est faux ! protesta-t-elle.

— Ne me mens pas, *cara*. J'ai horreur des mensonges et tu m'en as déjà dit assez. Sois honnête, pour une fois. Tu peux être tranquille, cela ne sortira pas d'ici.

Sienna se mordit la lèvre. Elle se trouvait au pied du mur et n'avait plus le choix. Elle pria pour que Brian la pardonne.

— Comment as-tu découvert la vérité ? Personne n'était censé le savoir. Brian ne voulait pas que ses enfants l'apprennent parce qu'il avait peur de les blesser. Il croyait qu'ils ne le comprendraient pas. Si jamais son secret était révélé sur la place publique, beaucoup de gens en souffriraient.

— Je ne dirai rien à personne, bien sûr. Mais si j'en suis venu à cette conclusion, d'autres en feront certainement de même.

— Brian voulait avant tout protéger sa famille, expliqua Sienna. Il venait d'un milieu très conservateur. Ses parents l'auraient renié s'ils avaient appris la vérité. Il a agi en conformité avec ce qu'ils attendaient de lui. Il s'est marié et a eu des enfants. Même après la mort de sa femme, il a maintenu les apparences. Mais c'était extrêmement dur pour lui de vivre dans le mensonge. Il était pris au piège. Tu dois me promettre de garder le secret, Andreas.

Il lui caressa doucement le menton.

— Tu te soucies de sa famille alors que ces gens t'ont traînée dans la boue dès qu'ils en avaient l'occasion ?

Quelque chose qui ressemblait à une lueur de tendresse brillait dans les yeux d'Andreas. Touchée malgré elle, Sienna s'efforça de refouler l'émotion troublante et totalement importune qui envahissait son cœur. Elle ne voulait surtout pas perdre le contrôle de ses sentiments. Tomber amoureuse d'Andreas Ferrante serait la plus grande erreur de sa vie. Il ne le fallait pas. A aucun prix. Elle devait être assez forte pour partir la tête haute le moment venu.

— Je tiens à honorer la promesse que j'ai faite à Brian. Il avait confiance en moi. Je ne veux pas le trahir.

Andreas continua à la caresser, avec des gestes lents et réguliers, hypnotiques.

— Cela ne te gênait pas que je te prenne pour une dévergondée ? Mon opinion t'importe donc si peu ?

— Dans six mois, cela n'aura de toute façon plus aucune importance. Nous n'évoluons pas dans le même milieu social. Nous ne nous reverrons sans doute jamais.

Une ombre voila le regard d'Andreas.

— C'est dommage, non ?

— Pourquoi ?

— Parce que j'ai l'impression que nos baisers me manqueront.

Il se pencha alors pour l'embrasser.

9.

Sienna accueillit avec émotion la douce pression des lèvres d'Andreas sur les siennes. Il n'y avait ni urgence ni passion, mais au contraire une lenteur agréable et sensuelle, comme pour se donner le temps de la connaître et d'explorer ses réactions.

Cela ressemblait à un premier baiser romantique entre un homme et une femme attirés l'un par l'autre, soucieux néanmoins de ne pas brûler les étapes. Un baiser où chacun reste attentif à la découverte du plaisir de son partenaire.

Aucune autre partie de leurs corps ne se touchait. Andreas ne la serra pas contre lui, ne la prit pas par les épaules ou par la taille. Et elle ne se pendit pas à son cou. Seules leurs bouches étaient en contact. Pourtant, tout son être s'embrasa.

Au bout de longues minutes suspendues hors du temps, Andreas s'écarta avec une expression rêveuse.

— Tu as une bouche incroyablement suave pour quelqu'un qui a la langue si bien pendue.

Sienna ne put s'empêcher de sourire.

— Avec toi, je suis obligée de me défendre.

Il émit un petit marmonnement amusé qu'elle sentit résonner jusque dans son ventre. Puis il posa la paume sur sa joue, tandis que ses yeux, déjà, lui faisaient l'amour.

— Je ne suis pas toujours très commode, concéda-t-il. Mais nous pourrons peut-être rester amis, tous les deux, au bout de ces six mois. Qu'en penses-tu ?

Sienna contrôla son trouble du mieux qu'elle put.

— Je ne sais pas si j'y arriverai, déclara-t-elle malicieusement. Sauf si je trouve quelqu'un d'autre sur qui aiguiser mes griffes ?

— Ce ne sera peut-être pas aussi bien qu'avec moi, répliqua-t-il sur le même ton.

Elle comprit qu'il ne parlait pas seulement de leurs disputes... Bizarrement, elle ne s'imaginait pas embrasser jamais un autre homme.

Elle voulait Andreas.

Elle se réprimanda intérieurement. Lui espérait seulement le château, et elle n'était qu'un moyen pour arriver à ses fins. Dans six mois, tout serait terminé. Il la quitterait sans arrière-pensées, comme Guido Ferrante avait abandonné sa mère.

— Qui sait ? répondit-elle d'un air bravache. Mais je ne saurai pas vraiment avant d'avoir essayé, si ?

Il battit des paupières comme si, poussé dans ses retranchements, il ne savait plus quoi dire. Ce qui ne lui ressemblait guère...

— Nous devrions passer à table, proposa-t-il. J'ai encore un peu de travail après dîner.

— Tu ne te détends donc jamais ? Tu ne pourras pas soutenir ce rythme indéfiniment. Ce n'est pas bon pour ta santé.

— J'ai beaucoup de gens sous ma responsabilité. Je dois penser à eux. La mort de mon père n'aurait pas pu tomber plus mal.

— Il n'a pas choisi, observa sèchement Sienna.

— Je n'en jurerais pas, répliqua-t-il d'un air sombre et amer.

— Tu ne le haïssais pas vraiment, tout de même ?

Il demeura un instant silencieux, avant de pousser un long soupir.

— Je l'admirais quand j'étais petit. Je rêvais de devenir comme lui, riche et puissant. Mais, en grandissant, j'ai découvert le côté obscur de sa personnalité. Il était égoïste et impitoyable lorsqu'il se fixait un but à atteindre. Il a exploité ma mère et l'amour qu'elle lui vouait. Il ne l'a probablement jamais aimée, mais l'a épousée parce qu'elle était soumise. Elle ne s'opposait jamais à lui et lui obéissait en tout sans jamais sourciller. Elle aurait pu le quitter, après sa liaison avec ta mère, mais elle est restée jusqu'au bout.

— Ton père ne voulait apparemment pas que tu recommences les mêmes erreurs que lui.

Il plissa le front.

— Que veux-tu dire ?

— Avec Portia, tu avais choisi le même genre de femme : une épouse docile qui fermerait les yeux sur les infidélités de son mari. C'est ce que tu avais en tête, n'est-ce pas ?

— Tu dis n'importe quoi ! protesta-t-il avec vigueur.

— Vraiment ?

Incapable de regarder la vérité en face, il lui lança un regard courroucé et se dirigea vers la porte.

— Finalement, j'ai changé d'avis, pour le dîner. Je retourne travailler dans mon bureau.

Quand Andreas rentra chez lui, Sienna n'était pas là. Il repensa aussitôt à leur accrochage de la veille au soir et à sa propre fuite. La villa semblait tout à coup très vide. Il manquait son parfum dans l'air, ses chaussures sur le tapis et les coussins du canapé étaient trop ordonnés. Aucune tasse ne traînait sur la table basse, la télévision ne hurlait pas, ni la chaîne stéréo.

Tout était paisible, bien rangé, mais stérile.

Un peu comme sa vie…

Rejetant vivement cette pensée, il appela Sienna sur son portable.

— Où es-tu ?

— Sur le chemin du retour. Je serai là dans dix minutes.

— Où es-tu allée ?

— Euh… chez le médecin.

Il sursauta.

— Ah bon ? Pourquoi ? Tu es malade ?

— Pas vraiment, non…

Comme elle hésitait, il insista :

— Que se passe-t-il ?

— J'ai eu un petit accident, mais rien de grave. On a dû me faire… deux points de suture à la main.

— Que t'est-il arrivé ?

— Promets-moi d'abord de ne pas te débarrasser de Scraps.

— Ce maudit chien t'a attaquée ? s'exclama-t-il.

— C'est ma faute. Il s'est blessé à la patte et j'ai voulu le soigner. Il m'a mordue parce qu'il avait mal, pas par méchanceté.

— Je t'avais dit de le laisser tranquille. Tu peux conduire toute seule ? Pourquoi n'as-tu pas demandé à Franco de t'accompagner ? Gare-toi et je viens te chercher. Où es-tu exactement ?

— Arrête de faire des histoires pour rien, Andreas. Tu me fais peur. On dirait un mari gâteux, fou amoureux de sa femme !

Etouffant une exclamation excédée, Andreas s'approcha de la fenêtre pour guetter le retour de sa femme.

* *
*

Sienna se gara devant le perron. Elle n'eut même pas le temps de couper le contact qu'Andreas avait déjà ouvert la portière.

— Pourquoi ne m'as-tu pas appelé ?

— Je ne voulais pas t'affoler. C'est juste une égratignure.

Il prit doucement sa main bandée.

— Combien de points ?

Elle faillit mentir de nouveau, mais se ravisa.

— Cinq, marmonna-t-elle.

— *Cinq ?* répéta-t-il, effaré. C'est plus qu'une égratignure. Tu aurais pu perdre un doigt, ou la main, peut-être !

— Ne dramatise pas !

— Il faut se débarrasser de cet animal. Je vais dire à Franco de faire le nécessaire. Sinon, je m'en chargerai moi-même.

Sienna le foudroya du regard.

— Si jamais tu fais cela, je ne t'adresserai plus jamais la parole.

— Pourquoi veux-tu à tout prix sauver ce chien contre son gré ?

Elle releva le menton d'un air de défi.

— Il ne sait plus à qui faire confiance, c'est tout. Il finira par s'habituer à moi. Je dois juste me montrer patiente.

Andreas réprima un juron et l'escorta jusqu'à la villa en la saisissant par le coude.

— Un jour, j'aurai une crise cardiaque à cause de toi.

Elle lui lança un regard impertinent.

— Heureusement que tu n'en as que pour quelques mois ! Ensuite tu pourras m'oublier et retourner à ta petite vie tranquille et ennuyeuse.

— Vivement que cela arrive ! maugréa-t-il en ouvrant la porte.

10.

Sienna se réveilla au milieu de la nuit et n'arriva pas à se rendormir parce que l'anesthésie locale s'était dissipée. Les antalgiques prescrits par le médecin étaient restés dans son sac, dans la voiture. Rejetant les couvertures, elle descendit au rez-de-chaussée.

En apercevant de la lumière sous la porte du bureau d'Andreas, elle avança sur la pointe des pieds. Le parquet grinça soudain et, avant qu'elle ait eu le temps de battre en retraite, son mari surgit devant elle.

— Que fais-tu ?

— Je vais chercher mon sac dans la voiture. J'ai des cachets dedans.

— Tu aurais pu me demander.

— Je n'y ai pas pensé.

— Retourne dans ta chambre. J'y vais.

Quelques minutes plus tard, Andreas lui apportait son sac avec un verre d'eau. Elle avala un cachet.

— Tu as mal ? demanda-t-il.

— Un peu. Ça me lance.

Dans le silence qui suivit, le cœur de Sienna se mit à tambouriner quand Andreas s'assit au bord du lit et posa une main juste à côté de la sienne. Elle était irrésistiblement attirée, comme par une force magnétique extrêmement puissante. Tout son être se tendait vers cet homme, réclamant le contact.

Le pouce d'Andreas bougea presque imperceptiblement

et frotta doucement son petit doigt. Ce geste pourtant infime déclencha en elle une tempête tumultueuse. Des picotements remontèrent le long de son bras tandis que son rythme cardiaque s'accélérait.

Quand le regard d'Andreas se posa sur sa bouche, ce fut comme s'il l'embrassait. Ses lèvres la brûlaient tellement qu'elle dut les humecter pour atténuer la sensation. Alors, très délicatement, il en dessina les contours du bout de l'index. Cette caresse érotique se propagea en elle, au plus profond, faisant naître dans son bas-ventre un désir primitif.

— J'ai envie de toi, chuchota Sienna dans un filet de voix méconnaissable.

Andreas plongea les yeux dans les siens, avec une expression grave et intense.

— Je crains que le cachet ne produise un drôle d'effet sur toi…

— Non, je suis tout à fait lucide. Je veux que tu me fasses l'amour.

Elle mit la main sur sa joue râpeuse et il la couvrit de la sienne, avant de déposer un baiser fervent au creux de sa paume.

— Moi aussi, j'en ai envie, avoua-t-il. Tu me rends fou.

Sienna frissonna quand il se pencha pour l'embrasser dans le cou.

— Nous perdons la tête, tous les deux, tu ne crois pas ? lança-t-elle.

— Absolument, acquiesça-t-il tout contre sa bouche.

Puis il glissa une main sous ses cheveux et l'attira doucement à lui.

Elle ferma les paupières afin de mieux savourer l'instant. Un besoin de plus en plus pressant circulait dans ses veines. Chaque battement de cœur augmentait la fièvre et l'urgence qui l'habitaient. Entre ses jambes, son sexe pulsait, comme un appel.

Elle écarta les lèvres avec un soupir quand le baiser d'Andreas se fit plus urgent et dominateur. De petites secousses électriques l'agitèrent au moment où il chercha sa poitrine, à travers la fine étoffe de sa chemise de nuit. La pointe de ses seins durcit à ce contact. Ses caresses expertes la transportaient de plaisir. Elle en avait la chair de poule. Bientôt, la bouche d'Andreas remplaça sa main. Elle osait à peine respirer.

Il s'appuya sur un coude.

— Débarrassons-nous de ceci, murmura-t-il en tirant sur sa chemise de nuit.

Sienna se laissa faire docilement, en s'étonnant de n'éprouver aucune gêne à se montrer nue devant lui. Au contraire, elle fut gagnée par une délicieuse ivresse quand il la dévora des yeux.

— C'est incroyable comme tu es belle ! s'écria-t-il en effleurant la courbe de ses hanches. Si mince et gracieuse à la fois... Et ta peau est douce comme de la soie.

— J'ai envie de te toucher, moi aussi, dit-elle en commençant à déboutonner sa chemise.

Mais ce n'était pas très facile avec une seule main valide. Andreas se redressa à demi pour se déshabiller.

— Ne bouge pas, murmura-t-il.

Elle contempla sa nudité en retenant son souffle. Il ressemblait à une statue antique, avec une musculature puissante et des proportions parfaites.

Il sortit un préservatif de sa poche avant de jeter son pantalon par terre.

— Tu es sûre de ce que tu veux ? demanda-t-il. Il n'est pas trop tard pour s'arrêter. Il faut faire attention à ta main.

— Pour moi, c'est trop tard. Et je me moque éperdument de ma main.

Andreas prit le temps de caresser chaque centimètre de sa peau, passionnément, et Sienna découvrit des sensations insoupçonnées. Elle n'avait même pas conscience de posséder autant de zones érogènes — sous les seins ou à l'intérieur des cuisses, par exemple. Et quel bonheur quand il écarta délicatement les plis de sa féminité... L'énergie sensuelle qu'il éveillait la déconcertait totalement. Quand il commença à caresser son clitoris, ce fut un véritable tsunami qui l'emporta, contre lequel elle ne pouvait absolument rien. Elle se laissa guider vers le plaisir, inerte et éblouie, et explosa en un orgasme dévastateur.

— Waouh, chuchota-t-elle d'une voix éraillée en reprenant ses esprits.

Un éclair brilla au fond des yeux d'Andreas.

— Ce n'est pas fini, murmura-t-il avec un sourire désarmant. Je vais y aller en douceur. Je ne veux surtout pas te faire mal. Détends-toi et tout ira bien.

Sienna soupira de plaisir pendant qu'il se plaçait au-dessus d'elle, prenant appui sur ses coudes pour ne pas l'écraser. Il était d'une délicatesse infinie, comme s'il avait peur de la casser. Elle goûtait avec lui des expériences nouvelles, inouïes, d'un érotisme vertigineux. Il la pénétra avec beaucoup de précautions, en contrôlant chacun de ses mouvements pour se retenir d'aller trop vite. En le sentant à l'intérieur de son ventre, elle fondit littéralement et commença à bouger en même temps que lui, épousant son rythme.

Il laissa échapper un son indistinct.

— Tu es bien ? demanda-t-elle timidement.

Il écarta avec tendresse une mèche de cheveux qui retombait sur son front.

— Il n'y a pas de mots pour décrire ce que je ressens, répondit-il dans un souffle.

Alors elle s'abandonna complètement à la danse de leurs corps. C'était comme si Andreas percevait d'instinct ce dont elle avait envie. Ses caresses, ses va-et-vient, ses baisers, tout était parfait. Au moment où elle basculait dans l'extase, elle vit un spasme de plaisir contracter ses traits. Elle le sentit se raidir en elle, ce qui décupla son plaisir.

Dans les bras de son merveilleux amant, elle venait de découvrir le paradis.

Allongé sur le côté, Andreas regardait Sienna dormir. Pelotonnée contre lui, sa main bandée posée sur l'oreiller, ses cheveux blonds formaient une auréole autour de son beau visage. Son parfum lui collait à la peau et il avait le goût de ses baisers sur la bouche.

Il avait fait l'amour souvent et à de nombreuses femmes, et il aimait le sexe. Mais, avec Sienna, l'expérience avait revêtu une autre dimension ; le plaisir avait été plus intense, une déflagration comme il n'en avait encore jamais subi jusque-là.

Décidément, elle n'en finissait pas de le surprendre ! Cela faisait d'ailleurs partie de son charme. Il ne savait jamais à quoi s'attendre avec cette femme délicieusement imprévisible.

Ouvrant brusquement les yeux, elle lui adressa un de ses sourires ravageurs.

— J'ai fait un rêve bizarre, dit-elle. Je faisais l'amour avec un homme détestable et immensément riche. Dans la réalité, je le hais de toutes mes forces et pourtant, dans mon rêve, j'éprouvais des sensations extraordinaires…

Andreas lui adressa un sourire coquin.

— Es-tu vraiment sûre de le haïr ?

Elle fit semblant de réfléchir.

— Mmm… Peut-être pas autant qu'avant, mais en tout cas, je ne l'aime pas.

— Que comptes-tu faire ? L'oublier tout de suite ou vivre une aventure avec lui ?

Elle promena pensivement le bout des doigts le long de son épaule.

— Cinq mois, à quelques jours près, devraient suffire pour me lasser de lui.

Andreas étudia un instant sa bouche pulpeuse.

— Et s'il avait envie, lui, de te garder plus longtemps ?

Elle s'immobilisa en fronçant les sourcils. Puis, avec un haussement d'épaules, elle demanda :

— Pourquoi voudrait-il une chose pareille ?

Il enroula lentement une mèche de cheveux blonds autour de son index.

— Peut-être qu'il a besoin d'un peu de désordre dans sa vie trop bien rangée.

— Ça m'étonnerait ! lança-t-elle en éclatant de rire. De toute façon, nous ne nous supporterions pas.

Andreas éprouva un brusque sursaut de désir quand la main de Sienna descendit lentement sur son torse, vers son ventre, puis se referma autour de son sexe. Avec un petit sourire voluptueux, elle se laissa ensuite glisser de tout son long pour embrasser son érection, timidement d'abord, puis en s'enhardissant, comme un chaton qui se transforme peu à peu en tigresse.

Ebranlé par des secousses de plaisir, il tenta de la repousser pour recouvrer le contrôle de la situation, mais elle résista.

— Moi, je me suis laissé faire, tout à l'heure, avança-t-elle en relevant la tête.

— Ce n'était pas pareil, protesta-t-il, le souffle court.

— En amour comme à la guerre, tous les moyens sont bons.

— Est-ce l'amour ou la guerre, entre nous ?

Elle enroula sa chevelure sur le côté, par-dessus son épaule, et lui jeta un regard provocant.

— La guerre, lança-t-elle résolument, avant de plonger de nouveau entre ses jambes.

11.

Sienna s'installa dans la vie d'Andreas comme si sa place l'y attendait depuis toujours. Par un agrément tacite, ils n'évoquaient jamais l'avenir. Leur ardeur sensuelle ne faiblissait pas. Sienna s'émerveillait constamment de la capacité de son corps au plaisir, et le mélange de fougue et de tendresse dont Andreas l'entourait ne cessait de l'étonner. Il suffisait à cet homme de la regarder d'une certaine façon pour que son être tout entier s'embrase de désir. Elle-même gagnait en assurance et adorait le surprendre.

Avec une générosité confondante, il lui avait offert un appareil photo extrêmement sophistiqué et un ordinateur pour stocker ses images et les retravailler avec un logiciel professionnel. Il l'encourageait également à les tirer sur papier et en avait accroché quelques-unes, encadrées, sur les murs de son bureau florentin.

Elle se demandait s'il les enlèverait quand, inévitablement, sonnerait l'heure de la rupture.

Son mari lui avait aussi apporté une aide précieuse avec Scraps. A force de patience et d'attentions, le chien était maintenant complètement apprivoisé. Andreas continuait à refuser sa présence à l'intérieur de la villa, mais elle se satisfaisait de le voir heureux et en bonne santé.

Pour une fois dans sa vie, les paparazzis la laissaient en paix. Ils avaient manifestement accepté l'idée d'un mariage heureux et sans histoire, et se contentaient de publier très occasionnellement une photo prise dans un restaurant ou au cours d'une réception, sans jamais aucun commentaire désagréable.

Sienna savait que cela ne durerait pas mais, pour le moment, elle préférait ne pas y songer. Elle avait appris à nier les problèmes ou à les reléguer à l'arrière de son esprit pour ne pas se laisser polluer. Ainsi procédait-elle également avec les sentiments qu'elle éprouvait pour Andreas. Il lui suffisait de savoir qu'elle ne le haïssait plus. Il n'était pas question de s'analyser davantage. Elle s'y refusait catégoriquement.

Il était tout aussi dangereux de s'interroger sur les sentiments d'Andreas. Il poursuivait un but qu'il aurait atteint d'ici quelques mois. Dès qu'il entrerait en possession de son héritage, sa vie suivrait un autre cours et elle n'y aurait plus aucune part.

Il ne parlait jamais de ce qu'il ressentait. Il se montrait attentif et attentionné, parfois taquin ou malicieux, mais de temps en temps Sienna le surprenait en train de l'observer avec une expression de profonde perplexité. Elle suscitait probablement en lui autant de mécontentement que de satisfaction.

Il en fut par exemple ainsi alors qu'elle se préparait à rejoindre sa sœur à Rome pour l'aider aux préparatifs de son mariage. Déterminée à suivre l'exemple d'Andreas en s'organisant, au lieu d'improviser au dernier moment, elle était en train de faire ses bagages, deux jours avant son départ, lorsqu'il la rejoignit dans leur chambre.

— Tu rentres de bonne heure ! s'écria-t-elle avec un large sourire.

— Que se passe-t-il ? lança-t-il avec mauvaise humeur en considérant le déballage de vêtements sur le lit.

— Je fais ma valise.

Il sursauta.

— Pardon ?

— Pour le mariage de ma sœur. Souviens-toi, je t'en ai parlé. Mais tu ne m'écoutais probablement pas, encore une fois. Evidemment, tu es libre de me rejoindre ou pas. Personne ne t'y oblige. Je comprendrai tout à fait tes réticences si tu ne viens pas.

— Pourquoi me dis-tu cela ? protesta-t-il.

— Tu le sais très bien. Ce n'est pas très agréable d'assister à un mariage d'amour quand on est soi-même prisonnier d'une union non désirée.

Il la saisit rudement par le poignet.

— Qu'est-ce qui te prend ?

— C'est plutôt à moi de te poser la question, protesta-t-elle en le repoussant. Ne me touche pas !

Une lueur brilla au fond des yeux d'Andreas.

— Tu ne disais pas la même chose cette nuit, ni ce matin sous la douche. J'y ai pensé toute la journée.

— Peut-être ; mais là, je n'ai pas envie.

Il l'attira contre lui d'un air de défi.

— Prouve-le-moi.

— Je n'ai rien à prouver, répliqua-t-elle en essayant de se dégager, en vain.

— Un baiser et je te laisse.

— D'accord, dit-elle, déterminée à lui résister.

Il l'embrassa à la commissure des lèvres et elle faillit tourner la tête pour lui offrir pleinement sa bouche. Pourquoi son corps répondait-il toujours aussi traîtreusement ? Elle se liquéfia lorsqu'il déposa un baiser de l'autre côté, et sa barbe naissante lui râpa délicieusement la joue.

— Tu triches ! lança-t-elle, choquée par le son de sa propre voix.

— Ah bon ? Pourquoi ? répliqua-t-il en lui mordillant le lobe de l'oreille.

Sienna frissonna.

— Tu avais dit un baiser, et tu ne m'as même pas embrassée.

— Un peu de patience, murmura-t-il en revenant vers ses lèvres.

Il lui imposa un véritable supplice de Tantale, la frôlant à peine pour s'écarter, avant de l'effleurer de nouveau, dans une incessante hésitation.

A la fin, n'y tenant plus, elle lui saisit la tête à deux mains pour presser sa bouche sur la sienne. Mais il reprit immédiatement le contrôle de la situation en glissant sensuellement la langue entre ses dents. Incapable de lui résister, elle se frotta contre son corps, qui irradiait une fabuleuse énergie sexuelle.

Il la poussa vers le lit.

— Enlève ces vêtements, commanda-t-il.

— Lesquels ? demanda-t-elle malicieusement, tout en déboutonnant sa chemise.

— Commençons par ceux que tu as sur toi.

En un rien de temps, elle se retrouva nue. Andreas tira sur le couvre-lit, jetant à terre les piles de robes et de pantalons. Elle s'offrit à lui et il la pénétra avec un soupir sauvage qui décupla son désir.

Un rythme frénétique les emporta tous deux et Sienna ne tarda pas à crier de plaisir. Dans un effort désespéré pour retenir le plus longtemps possible les sensations exquises qui la traversaient, elle noua les jambes autour des reins de son amant.

Puis, brusquement, elle éclata en sanglots.

Jamais elle n'avait ressenti une telle plénitude. Chaque fois, la vague qui l'emportait semblait plus forte. Lorsque Andreas se répandit en elle, Sienna fut secouée de frissons incoercibles, qui mirent une éternité à se calmer.

Dans le silence qui suivit, elle eut l'impression que la carapace qui protégeait son cœur se craquelait dangereusement. Cela la terrifia. Elle devait recouvrer son sang-froid, à n'importe quel prix.

— Pousse-toi, ordonna-t-elle.

Andreas fronça les sourcils et s'écarta. Elle se leva.

— Que se passe-t-il, *cara* ?

— Pourquoi mélanges-tu constamment l'anglais et l'italien ? lança-t-elle sur un ton irrité. Cela m'embrouille.

— Tu comprends parfaitement les deux langues. Cela ne te gêne pas, d'habitude.

— Si !

Elle passa un peignoir. Andreas s'approcha pour la prendre par les épaules.

— Que t'arrive-t-il, *cara* ?

Elle lui fit face, tête basse.

— Excuse-moi. Je suis chamboulée par le mariage de ma sœur. C'est… tellement différent du nôtre.

— Cela te pose un problème ?

— Pas vraiment, non. Après tout, notre situation n'a rien à voir. Nous ne sommes pas amoureux et nous n'envisageons pas de construire notre avenir ensemble. Finalement, nous arrivons à tirer le meilleur parti de circonstances qui nous ont été imposées.

Un long silence s'étira entre eux, pendant lequel elle fit semblant de ranger le désordre.

— Tu as besoin d'aide pour tes bagages ? demanda finalement Andreas. Je ne sais pas si tu vas y arriver.

— Il est temps que j'apprenne à me tirer d'embarras toute seule et à résoudre mes propres problèmes.

— Ce ne sont pas uniquement les tiens.

Comme elle l'interrogeait du regard, il poursuivit :

— Je soupçonne mon père d'avoir cherché à me donner une leçon. Il voulait sans doute me faire comprendre combien il est difficile de choisir entre mes aspirations conscientes et ce dont j'ai réellement besoin.

— Y es-tu parvenu ?

Il la fixa avec une intensité troublante.

— Je sais ce que je veux, oui.

— C'est quoi, Andreas ? L'argent, la notoriété ?

Il la tira par le bras pour la serrer très fort.

— Tu connais déjà la réponse, répondit-il en pressant un baiser sur ses lèvres.

12.

— Tu es divine ! s'écria Sienna en apportant un dernier ajustement au voile de Giselle. Emilio sera sans voix quand il te verra.

Sa sœur sourit en lui pressant la main.

— Andreas aura probablement la même réaction avec toi. Tu es superbe.

— Merci…, murmura Sienna.

Elle s'écarta pour retoucher son maquillage avant l'arrivée d'Hilary. La mère adoptive de Giselle occupait la suite voisine, où on était en train de la coiffer. Avec toute l'agitation des préparatifs, c'était la première fois que Sienna se retrouvait seule avec sa sœur.

— Tout va bien ? demanda cette dernière.

Sienna croisa ses yeux gris-bleu dans le miroir. Cela la surprenait encore d'avoir une jumelle parfaitement identique, même si leur ressemblance s'arrêtait aux apparences.

— Oui, très bien, répondit-elle en se forçant à sourire.

Giselle s'approcha et posa doucement la main sur son épaule nue.

— Vous êtes heureux, toi et Andreas, n'est-ce pas ? Tout est allé si vite entre vous ! Je me demandais si…

— Mais oui, bien sûr ! la coupa-t-elle. Je sais, c'est un vrai tourbillon.

— Tu ne regrettes pas de t'être mariée dans l'intimité ?

Elle trembla légèrement en appliquant son rouge à lèvres.

— Non, pourquoi ?

— Tu avais l'air triste, tout à l'heure, quand maman m'a aidée à m'habiller. Ta mère doit te manquer. C'est sans doute pour cela que tu n'as pas célébré l'occasion avec une grande fête, non ?

— Je ne suis pas comme toi, mentit Sienna. Je n'ai jamais rêvé d'un grand mariage. D'abord, je serais incapable de tout organiser. J'oublierais probablement d'inviter quelqu'un de terriblement important ou je commanderais des fleurs de la mauvaise couleur. Et puis tu m'imagines en blanc ? J'aurais déjà fait des taches avant d'arriver à l'église, où je me prendrais les pieds dans la traîne.

Avec un sourire indulgent, Giselle tendit la main vers elle et lissa une mèche rebelle qui s'était échappée de son chignon élégant.

— Tu es parfaite pour Andreas. Je l'ai observé hier soir, pendant le dîner. Il a tendance à être un peu distant, certainement à cause de son milieu et de son éducation conventionnelle. Il observe beaucoup les gens avant de décider s'il peut leur faire confiance. J'ai vu aussi la façon dont il te regarde, comme s'il avait du mal à se convaincre de sa chance d'avoir trouvé une femme qui l'aime pour lui-même et pas pour son argent.

Sienna s'empourpra.

— Nous avons de la chance tous les deux, répliqua-t-elle.

« Même si ce n'est que pour quelques mois », ajouta-t-elle intérieurement.

— Ce sera un père merveilleux, dit Giselle.

— Je ne… Il… Nous ne sommes pas encore prêts, bredouilla-t-elle en détournant le regard.

— Ah… Je me suis demandé si ce n'était pas la

raison qui vous avait poussés à vous marier aussi vite. Et j'étais tout excitée, parce que ce serait tellement bien si nous étions enceintes en même temps, toutes les deux.

Sienna se tourna brusquement vers sa sœur.

— Tu attends un bébé ?

— Oui, répondit Giselle, radieuse. Emilio est fou de joie. Nous ne l'avons encore dit à personne, sauf à maman. Je voulais que tu sois parmi les premières à apprendre la nouvelle. Ce seront des jumeaux.

— Des jumeaux !

Elle essaya désespérément de réprimer la jalousie qui l'envahissait. Elle avait honte d'éprouver un sentiment aussi égoïste, d'autant qu'elle n'avait jamais vraiment rêvé de devenir mère. Elle n'aurait pas su s'occuper d'un bébé, et n'en avait d'ailleurs jamais tenu dans ses bras.

Pourquoi aurait-elle envie de savoir ce qu'on éprouvait à mener une grossesse à terme ? A sentir un petit être se développer dans son ventre ? A caresser les cheveux tout fins d'un nourrisson ?

Malgré tout, une vague de mélancolie lui serra le cœur. Andreas lui avait bien fait comprendre qu'elle n'avait aucune chance de devenir la mère de ses enfants. Elle n'avait tout simplement pas les qualités requises.

La douleur se fit plus vive. Car non seulement elle n'imaginait pas faire l'amour avec un autre homme, mais elle ne pourrait jamais porter l'enfant d'un autre qu'Andreas. Elle le pressentait au plus profond de son être.

— Sais-tu si ce sont de vrais jumeaux ? demanda-t-elle avec émotion.

— Oui.

— Et le sexe ?

— Ce sont des garçons, dit Giselle en posant une main sur son ventre. Après la mort de Lily, je ne pensais pas avoir la force d'affronter un jour une nouvelle grossesse. Mais, cette fois-ci, tout est très différent.

La porte de la suite s'ouvrit sur Hilary Carter, impeccablement coiffée et maquillée.

— Tu es prête, ma chérie ? demanda-t-elle à sa fille adoptive. Emilio est très impatient de voir la mariée.

Sienna tendit son bouquet à sa sœur en s'obligeant à sourire ; pourtant, intérieurement une angoisse sourde la rongeait.

Elle avait déjà renoncé à l'amour. Lui faudrait-il aussi renoncer à la maternité ?

Le cœur d'Andreas bondit dans sa poitrine quand il aperçut Sienna remonter l'allée centrale de l'église. Vêtue d'une robe longue en satin beige clair, avec un gros nœud couleur crème sur la hanche gauche, elle portait ses cheveux relevés en un chignon charmant qui lui donnait un air altier. Elle était d'une beauté à couper le souffle, comme sa sœur.

Habillée de tulle et de satin blancs, Giselle semblait marcher sur un nuage. Une splendide tiare de diamants retenait son voile. Andreas avait déjà vu des photos d'elle et constaté sa ressemblance frappante avec Sienna. Toutefois, en les voyant toutes deux côte à côte au dîner, la veille au soir, il avait eu un véritable choc. La scène lui avait paru surréaliste.

Avec une pointe de remords, il se demanda si Sienna n'aurait pas aimé se marier ainsi, en grande pompe et robe blanche. Il éprouva tout à coup une affreuse culpabilité. Toutes les femmes ne rêvaient-elles pas d'un grand et beau mariage ?

Tout au long de la cérémonie, il observa Sienna. Elle arborait un sourire de circonstance et ses yeux brillaient. Mais était-ce vraiment de joie ? Il n'en aurait pas juré. Elle lui sembla pâle et nerveuse.

Il fut surpris de trouver la cérémonie aussi émouvante,

surtout au moment où Emilio Andreoni promit, avec un tremblement dans la voix, amour et protection à sa jeune épouse. A l'évidence, le couple était fou amoureux.

Rétrospectivement, Andreas avait honte du simulacre qu'il avait imposé à Sienna. Leur union, envisagée et conclue comme un contrat d'affaires, n'était qu'une parodie éhontée. Comment avait-il pu tomber aussi bas ?

Il croisa son regard en sortant de l'église et elle lui adressa un sourire sans éclat, mécanique, avant de reporter son attention sur les nouveaux mariés qui s'embrassaient sous le porche.

Songeait-elle à leur premier baiser ? Leurs lèvres ne s'étaient jamais frôlées avant cet absurde échange de serments vides de sens. Depuis, à chacun de leurs baisers, il se souvenait de l'incroyable choc électrique qu'il avait ressenti cette première fois. Tout son être s'était embrasé. Il le ressentait encore maintenant rien qu'en y pensant. Curieusement, son désir ne diminuait pas, contrairement à ce qu'il avait imaginé. En fait, il augmentait même. S'émousserait-il pendant les cinq mois de contrat qu'il leur restait à partager ?

Pour des questions de protocole, il fut séparé de Sienna pendant tout le début de la réception, ce qui ne fit qu'accroître son impatience de la retrouver. Il fut terriblement agacé de la voir danser une valse avec le témoin du marié, surtout quand celui-ci commença à la serrer d'un peu trop près. Lui qui n'avait jamais été jaloux de sa vie se mit à bouillir littéralement en les observant. Sienna souriait à ce garçon d'une manière totalement inconvenante. Elle avait une main sur son épaule et son corps se mouvait au même rythme que le sien, avec leurs jambes qui se touchaient sans cesse.

N'y tenant plus, Andreas se leva et s'approcha.

— J'aimerais danser avec ma femme, dit-il d'un ton sec au cavalier de Sienna.

Ce dernier s'écarta avec courtoisie.

— Bien sûr. Elle danse merveilleusement. Moi qui ne sais pas aligner deux pas, j'ai eu l'impression de valser comme un dieu.

Andreas grinça des dents derrière un sourire de façade.

— Elle s'y entend pour manœuvrer, c'est certain.

Sienna le foudroya alors du regard, tout en se laissant emporter sur la piste.

— A quoi joues-tu ? protesta-t-elle à mi-voix.

— J'ai dû intervenir avant que tu ne te ridiculises. Tu étais en train de séduire ce pauvre garçon d'une manière effrontée.

— Pas du tout !

Il la serra contre lui.

— Je suis le seul homme que tu aies le droit d'approcher. Nous sommes mariés, je te le rappelle.

— Temporairement, rétorqua-t-elle sur un ton de défi. J'aurai bientôt recouvré ma liberté et tu ne pourras plus rien faire pour m'arrêter.

— Certes. Mais, pour l'instant, tu es ma femme et tu dois te comporter comme telle.

— Non, je ne le suis pas vraiment. Je m'étonne d'ailleurs que personne ne se soit rendu compte de cette comédie ridicule. Sauf Giselle, peut-être.

— Pourquoi dis-tu cela ?

— A mon avis, elle a des soupçons. Elle n'a pas cessé de me poser des questions sur notre mariage précipité, répondit Sienna en se mordillant la lèvre.

Andreas cessa de danser et la conduisit dans un coin isolé, à l'abri des regards.

— Es-tu déçue de ne pas avoir eu une vraie cérémonie ?

— Tu plaisantes ? s'esclaffa-t-elle d'un ton méprisant. Bien sûr que non ! C'était déjà assez humiliant de mentir devant un représentant de la loi. J'en aurais été incapable devant un prêtre et une assistance nombreuse.

De toute façon, c'est différent pour Giselle. Emilio et elle s'aiment ; ils ont toute la vie devant eux.

Andreas scruta attentivement ses prunelles, qui s'étaient brusquement assombries.

— Qu'y a-t-il ? demanda-t-il en lui caressant la joue.

Elle sursauta violemment à son contact.

— Rien !

— Ne me raconte pas d'histoires. Je commence à te connaître.

Elle prit une profonde inspiration.

— Je suis sans doute stupidement sentimentale, avoua-t-elle en se dégageant. Ce mariage me touche.

— La cérémonie était très émouvante, concéda Andreas. Je n'ai jamais vu mariée plus épanouie.

— Giselle est enceinte, lui apprit Sienna. Elle attend des jumeaux.

— Quelle bonne nouvelle ! Tu dois être très contente pour ta sœur.

— Je… Heureusement que…

Elle s'interrompit en recommençant à se mordiller la lèvre.

— Que quoi ? demanda Andreas.

Il la vit hésiter une fraction de seconde.

— Que tu n'oublies jamais de mettre un préservatif, conclut-elle avec désinvolture. Tu imagines les affreux garnements que nous aurions ? Si c'étaient des jumeaux, ils passeraient sûrement leur temps à se disputer comme des chiffonniers !

Andreas se figea. Une sensation curieuse l'avait envahi à l'idée de voir le ventre de Sienna s'arrondir et s'alourdir mois après mois. Il se représenta deux petites filles blondes comme les blés, ou deux garçons aux cheveux de jais. Ou un de chaque…

Puis, brutalement, il refoula ces images au fond de son esprit. D'ici quelques mois, tout s'arrangerait comme prévu : il hériterait du château et Sienna serait ravie de repartir avec un coquet dédommagement. Il n'avait pas besoin de se compliquer l'existence. La passion physique s'éteindrait d'elle-même et leur mariage contre nature serait dissous.

Il n'allait tout de même pas devenir esclave de ses désirs !

De toute manière, cela ne durerait pas. Le contraire était inconcevable.

— Nous devrions retourner avec les autres invités, dit-il. Tout le monde va se demander ce qui nous arrive.

13.

Il était très tard lorsqu'ils regagnèrent leur chambre d'hôtel. Sienna enleva ses chaussures et jeta son étole sur le lit. Elle était à bout de nerfs. Ses émotions étaient montées crescendo tout au long de la soirée et l'humeur silencieuse et taciturne d'Andreas avait achevé de l'épuiser. Il ne lui avait pratiquement plus adressé la parole après leur petite conversation en aparté. Même s'ils avaient beaucoup dansé, elle avait eu l'impression de gestes mécaniques et sans âme, exactement comme leur relation.

Leur mariage était un mensonge.

Comparé à celui de sa sœur, c'était une sinistre farce et elle se sentait salie par cette imposture. Comment avait-elle pu se commettre dans une situation tellement éloignée de tout ce dont elle rêvait ?

Elle ne pouvait plus continuer ainsi. Quand Andreas finirait-il par en prendre conscience ? De toute façon, autour d'eux, les gens allaient fatalement s'en rendre compte. Elle deviendrait alors un objet de pitié, comme sa mère, une femme incapable de retenir un homme par sa beauté ou ses qualités.

— Je sors, annonça tout à coup Andreas.

— Maintenant ? A 2 heures du matin ?

— J'ai besoin d'air.

Sienna haussa les épaules comme si elle s'en moquait éperdument.

— Ne compte pas sur moi pour t'attendre, répondit-elle en ôtant les épingles de son chignon.

Sur le seuil, Andreas se retourna.

— Au fait, je dois partir à Washington pour quelques jours. Je demanderai à Franco de passer te prendre demain matin.

— Tu ne veux pas que je t'accompagne ? proposa-t-elle en croisant son regard dans le miroir.

Il conserva une expression impénétrable.

— Je serai très occupé. J'ai beaucoup de réunions prévues.

Elle éprouva une horrible impression de rejet, comme une maîtresse qu'on abandonne subitement parce qu'elle a perdu son attrait. Sa mère s'était sans doute sentie ainsi, trahie, mal aimée… C'était épouvantable.

Son cœur se contracta devant la mine glaciale et imperturbable d'Andreas. A l'évidence, elle n'avait pas la moindre importance à ses yeux. Il l'avait bassement utilisée. Maintenant qu'il était arrivé à ses fins, qu'elle avait succombé à son pouvoir de séduction, il se croyait tout permis. Après tout, il n'avait rien à perdre. Si elle le quittait, il hériterait de toute façon du château de sa mère. C'était tout ce qui l'intéressait et elle avait été bien sotte d'imaginer ou d'espérer autre chose.

Elle s'efforça de conserver une apparence froide et calme.

— Tu n'as pas peur du qu'en-dira-t-on ? Que penseront les gens si tu t'absentes au bout d'un mois de mariage pour partir à l'étranger ?

— Je dirige une multinationale. Il n'est pas question de me laisser distraire quand de gros contrats sont en jeu. Les affaires avant tout.

— Très bien, répliqua Sienna sans rien trahir de sa douleur intérieure.

Pour toute réponse, il referma la porte derrière lui.

— Comment cela, « elle n'est pas là » ? lança Andreas, interloqué.

Il venait de rentrer en Toscane après une semaine aux Etats-Unis et n'avait pas encore enlevé sa veste. En face de lui, Elena leva les mains en signe d'impuissance.

— Elle m'a chargée de vous dire que tout était fini. Elle ne veut plus de ce mariage.

Andreas émit une exclamation de fureur.

— Quand est-elle partie ?

— Le lendemain du mariage de sa sœur. J'ai essayé de la dissuader, mais elle n'a rien voulu entendre. Elle est têtue, sa décision était prise de toute façon.

— Il fallait me prévenir immédiatement ! Pourquoi ne m'avez-vous pas appelé ?

— Elle m'avait fait promettre, *signore*.

— C'est moi qui vous emploie, pas elle. Vous deviez m'avertir immédiatement.

Elena lui jeta un regard accusateur.

— Si vous lui aviez téléphoné tous les jours, comme un mari attentionné doit le faire, elle ne se serait peut-être pas sauvée.

Andreas passa une main nerveuse dans ses cheveux sans relever l'impertinence de sa gouvernante.

— Où est-elle ?

— Elle n'a pas dit où elle allait. Elle m'a demandé de vous rendre ceci.

Andreas referma les doigts sur la bague de sa mère, jusqu'à enfoncer les ongles dans la chair de sa paume. Il croyait tenir Sienna à sa merci pendant son absence mais elle avait renversé la situation. Ne se rendait-elle pas compte qu'elle allait tout perdre en agissant ainsi ? Elle n'aurait pas un sou ! Un mois plus tôt, Andreas se serait réjoui de cette issue inattendue. Maintenant, il ne pensait plus qu'au moyen de faire revenir sa femme.

Il attrapa son téléphone et composa son numéro, mais tomba sur la messagerie.

— Elle a pris son passeport ? demanda-t-il rageusement à Elena.

— Sans doute, soupira la gouvernante. En tout cas, Scraps se languit d'elle. Il refuse de manger et se laisse dépérir. Il m'inquiète.

— Elle l'a abandonné, finalement, lâcha Andreas avec un mépris non dissimulé.

— Elle l'aime beaucoup.

— Si c'était le cas, elle ne serait pas partie Dieu sait où.

— Elle ignore peut-être combien Scraps est *lui aussi* attaché à elle, répondit Elena avec un regard accusateur.

Andreas la toisa méchamment.

— Vous n'avez rien à faire, au lieu de rester plantée là devant moi ?

— *Sì, signore*. Mais sans la *signora* Ferrante, la villa est bien vide. Je me sens toute désemparée.

Andreas alla voir Scraps dans la vieille grange. Prostré, la tête sur les pattes, le chien entrouvrit à peine ses yeux abattus quand il s'accroupit à côté de lui.

— Tu ne vas pas te laisser mourir de faim, tout de même ! lança-t-il.

L'animal émit un gémissement plaintif.

— Elle ne répond pas au téléphone, poursuivit Andreas en grattant distraitement les oreilles de Scraps. Je lui ai laissé des centaines de messages, tu sais. Elle m'ignore délibérément. Elle voudrait sans doute que je la supplie de revenir mais je ne le ferai pas. Tant pis pour elle. Elle se porte tort en rompant ses engagements. Et, après tout, cela m'arrange. J'aurai le château. Finalement, c'est tout ce que je voulais.

Scraps se mit à grogner et il retira sa main.

— Je sais ce que tu penses. Je suis idiot de continuer à me raconter des salades. Tu as raison. Je me moque éperdument du château. Je n'y vivrai pas sans elle, de toute façon. D'ailleurs, je ne me vois nulle part sans elle. Tout est trop bien rangé. La pagaille qu'elle laisse derrière elle me manque…

Il sourit tristement.

— Elle est tellement désordonnée ! Par exemple, elle ne rebouche jamais le tube de dentifrice. Ça m'horripile. Mais je donnerais n'importe quoi pour retrouver tous ces petits détails qui m'agacent tant au quotidien…

Une inquiétude sourde le rongeait continuellement. En ce moment même, il en tremblait.

— Que dois-je faire pour la reconquérir ? Ramper à plat ventre et la supplier ?

Scraps agita la queue.

— Tu as raison, dit Andreas avec un long soupir. Je suis fou de cette femme. Je ne pourrai jamais l'oublier. Et je ne parle pas simplement de désir physique. Comme si cela pouvait suffire à tout expliquer ! Non, ma rencontre avec Sienna est la meilleure chose qui me soit jamais arrivée. Je l'aime.

Il fronça les sourcils en secouant la tête.

— J'ai du mal à croire que j'ai vraiment prononcé ces mots. Je n'ai jamais dit cela à personne, sauf à ma mère — ce qui est totalement différent. Mais oui, *je l'aime*.

Il avança prudemment la main pour recommencer à caresser le chien.

— Et si elle ne m'aime pas ? J'aurai l'air ridicule si je lui fais cet aveu et qu'elle me rit au nez…

Scraps gémit et replaça sa tête sur ses pattes.

— En tout cas, elle n'aura pas ma déclaration par message vocal ni par texto, reprit Andreas avec détermination. Je vais retrouver sa trace et lui parler en face. Elle se croit plus maligne que moi, mais elle se trompe !

Il se releva en époussetant ses mains sur son pantalon.

— Si tu as envie de venir un peu dans la maison, je

veux bien faire une exception. Mais attention, interdiction absolue de t'installer sur les canapés ! Et il n'est pas non plus question d'aller dans les chambres !

Le petit cottage au bord de la mer à South Harris, en Ecosse, était un refuge idéal où se cacher. Les plages isolées et battues par les vents offraient à Sienna de longues promenades solitaires, pendant lesquelles elle réfléchissait à son avenir — un avenir où Andreas n'aurait malheureusement pas de place.

Pendant la première semaine, elle avait laissé son portable allumé, pour le cas où il l'appellerait ou lui enverrait au moins un message. Mais il l'avait apparemment très vite oubliée. Tant pis pour elle. En un sens, c'était sa faute. Elle avait accepté ce stupide contrat de son plein gré.

Maintenant, il fallait se ressaisir et tenter d'assumer une existence dénuée d'amour et de passion, triste et terne, à l'opposé de celle de sa sœur. Comment deux personnes aussi identiques physiquement pouvaient-elles mener des vies aussi diamétralement différentes ?

Elle avait téléphoné à Giselle pour la prévenir et lui éviter de s'inquiéter, mais sans lui dire où elle était. Car sa sœur aurait immédiatement informé Andreas ; or, elle n'était pas encore prête à lui parler.

Après ce coup de fil, elle avait éteint son portable et ne consultait plus sa messagerie qu'une fois par jour. La deuxième semaine, elle avait été inondée de messages vocaux et de SMS d'Andreas, d'abord très courtois, puis de plus en plus anxieux et suppliants, parfois furieux.

Elle les avait tous supprimés, en regrettant de ne pas pouvoir effacer aussi facilement les souvenirs de sa mémoire.

La nuit, elle passait de longues heures sans dormir,

à écouter le hurlement du vent et le fracas des vagues sur le rivage. Elle se remémorait la passion trop brève qu'elle avait connue entre les bras de son mari. Jamais elle ne pourrait oublier la folie érotique qu'elle avait découverte avec lui.

Depuis presque trois semaines qu'elle était réfugiée sur cette île, elle avait consciencieusement évité de lire les journaux. Elle ne voulait pas savoir ce qu'on racontait sur son couple d'opérette. Mais ce matin-là, tandis qu'elle se promenait sur la plage de Scarista, un texto de sa sœur lui signala deux articles en relation avec le scandale de la vidéo érotique. Apparemment, l'homme qui l'avait filmée avait accordé une interview exclusive à un journaliste. Il avait vu un reportage sur le mariage de Giselle et Emilio et en avait profité pour vendre de soi-disant révélations croustillantes.

Sienna lut son récit avec un profond sentiment de honte et de dégoût. A en croire cet homme, Eric Hogan, elle s'était comportée comme une vulgaire prostituée.

Elle contempla l'horizon avec désespoir. Où fuir pour être enfin tranquille ? Cela ne finirait donc jamais ?

Puis, elle cliqua sur le second lien du message de Giselle.

Le milliardaire Andreas Ferrante poursuit en justice Eric Hogan, qu'il accuse de diffamation. Ce dernier porte en effet atteinte à la vie privée de l'épouse de M. Ferrante, Sienna Baker, en exposant un épisode survenu à Londres voici deux ans et demi. Le procès promet d'être long et onéreux, mais M. Ferrante n'abandonnera pas avant d'avoir lavé l'honneur de sa femme. La police a rouvert l'enquête après avoir recueilli de nouveaux témoignages contre M. Hogan, qui aurait versé de la drogue dans le verre de la victime.

Le cœur de Sienna battait si fort qu'elle avait du mal à respirer. Elle relut l'article, les larmes aux yeux.

Andreas avait pris sa défense.

Et publiquement, lui qui veillait si jalousement sur la tranquillité de son intimité…

Sienna retourna immédiatement au cottage pour faire ses bagages. Elle marchait vite, à grandes enjambées, quand une silhouette imposante surgit soudain devant elle. A sa vue, elle fut prise d'un tremblement incoercible.

Andreas !

Ses cheveux d'un noir de jais volaient au vent et son visage mal rasé avait l'air aussi sombre que le ciel menaçant.

— J'espère que tu as une bonne excuse pour n'avoir répondu à aucun de mes messages, tonna-t-il. Te rends-tu compte du temps et de l'énergie que j'ai perdus à cause de toi ? Sans compter les dizaines de milliers d'euros jetés par les fenêtres pour retrouver ta trace. Pourquoi as-tu refusé de me dire où tu étais ?

Sienna demeura immobile devant lui, incapable de proférer un son.

Il avait pris sa défense…

— Tu refuses de parler ? Très bien. Réponds au moins à une question. Pourquoi t'es-tu sauvée ?

— Comment m'as-tu retrouvée ? bredouilla-t-elle.

— Giselle m'a dit qu'elle avait entendu des cornemuses en bruit de fond quand tu l'as appelée. Cet indice a considérablement rétréci le champ de mes investigations. Ensuite, j'ai engagé un détective privé. As-tu la moindre idée de ce que racontent les journalistes ?

Elle repoussa une mèche de cheveux derrière son oreille, une boule dans la gorge. Elle ne parvenait pas à réaliser qu'il avait effectué toutes ces démarches pour la retrouver, qu'il était bel et bien là, devant elle.

— Je viens seulement de lire les derniers articles. Je suis désolée de t'avoir causé tous ces tracas, Andreas.

— Je ne parle pas de cet ignoble individu, répondit-il farouchement. En tout cas, il te laissera tranquille dorénavant. Mais moi, j'étais malade d'inquiétude. Et tu m'as ridiculisé aux yeux de mes domestiques quand je suis rentré en Toscane, alors que tu étais déjà partie depuis une semaine !

— Je t'ai simplement rendu la monnaie de ta pièce.

— En rompant les termes de notre contrat ! s'écria-t-il. Tu n'auras rien, Sienna, pas un sou.

— Tant pis. J'ai l'habitude. Dire que j'ai passé le plus clair de ma vie à envier les gens comme toi, qui ont tout… Moi aussi, je voulais ma part, les belles maisons, les robes de grands couturiers, les vacances de rêve… J'espérais que cela me rendrait heureuse et comblerait le vide de mon existence. Et puis, je me suis rendu compte que je me trompais. Le prestige et l'argent ne sont rien quand on ne possède pas l'amour.

Il plissa les yeux avec colère.

— Parce que tu crois peut-être que je ne t'aime pas ? hurla-t-il au-dessus du vent. Je viens de passer quinze jours pratiquement sans manger et sans dormir, et sans mettre les pieds au bureau. J'ai même raté le contrat du siècle à cause de toi, et tu oses m'accuser de ne pas t'aimer !

Sienna humecta ses lèvres sèches. Les battements tonitruants de son cœur l'empêchaient de penser.

— Tu m'aimes ? demanda-t-elle, interloquée. Tu ne dis pas cela juste pour sauver la face et m'obliger à revenir ?

— Quelle idée ! Je n'ai pas l'habitude de raconter des histoires. J'aime ton esprit loufoque et ton sens de l'humour. J'aime le désordre que tu sèmes partout où tu

149

passes. J'aime aussi la façon dont tu as adopté cet horrible chien galeux dont personne ne voulait. J'aime ton sourire. J'aime ton insolence. J'aime tes yeux malicieux. J'aime ton corps. J'aime ta façon de dire une chose en pensant tout le contraire.

Il inspira profondément avant d'ajouter :

— J'ai oublié quelque chose ?

Sienna lui sourit d'un air confus.

— Je ne crois pas.

Il éclata de rire et la serra dans ses bras en enfouissant le visage dans ses cheveux salés par les embruns.

— Je t'aime tellement que cela me fait mal, murmura-t-il.

— Où ?

— Ici, répondit-il en posant une main sur son cœur.

Elle refoula péniblement ses larmes. Une joie démesurée la soulevait de terre.

— Je me suis sentie tellement triste et seule, après le mariage de Giselle et Emilio… Je ne pouvais plus vivre dans le mensonge. Ton père a eu tort d'agir comme il l'a fait. C'était cruel et manipulateur.

— Je sais, *cara*. J'ai ressenti exactement la même chose que toi. En voyant l'amour qui brillait dans les yeux d'Emilio, j'ai compris que j'avais tort. Toute ma vie, j'ai refusé les émotions et les sentiments en croyant que c'était là ma force. Avec toi, pourtant, les choses ont changé. Je ne contrôlais plus rien, même si je refusais de l'admettre. J'ai seulement compris que je t'aimais quand j'ai vu Scraps aussi malheureux après ton départ.

— Comment va-t-il ? J'ai pleuré comme un bébé, de devoir l'abandonner.

Andreas lui sourit.

— Il a décidé que la vieille grange n'était plus assez convenable pour lui et a élu domicile dans la villa. Il adore se vautrer sur le canapé pour regarder la télévision.

Bouleversée, Sienna se pendit au cou du seul homme qu'elle aimerait jamais.

— Je savais bien qu'il finirait par s'apprivoiser. Il suffisait d'un peu de patience.

Andreas déposa un baiser sur ses lèvres.

— Je veux t'épouser avec une cérémonie digne de ce nom. Tu porteras une vraie robe de conte de fées, avec un voile immense, dans une église pleine de fleurs et remplie à craquer. Dis-moi tous tes désirs. Tu n'as qu'à parler et je les exaucerai.

— A part toi, que pourrais-je désirer de plus ?

— Tu ne voudras pas de bébés ? demanda-t-il en recouvrant son sérieux.

— Après tout, pourquoi pas un ou deux ?

Il l'embrassa sur le bout du nez.

— Moi, j'ai envie de te voir enceinte. Nous devrions nous y mettre assez vite. Qu'en dis-tu ?

— L'idée me plaît assez, oui.

Il la tint un instant à bout de bras pour scruter son expression.

— Tu ne m'as même pas encore dit que tu m'aimais. En fait, je n'en sais rien du tout. Je suis là à le crier à tous les vents, mais tu ne m'as pas répondu.

— Je t'aime, déclara Sienna avec un sourire radieux. Je t'aime de toute mon âme et sans doute depuis toujours, même à l'époque où je te détestais. Mais… n'est-ce pas un peu incohérent ?

Il la considéra avec indulgence.

— Ne t'inquiète pas, je te comprends parfaitement.

Et il couvrit sa bouche d'un baiser passionné.

collection *Azur*

Ne manquez pas, dès le 1er juin

POUR UNE NUIT DE PASSION, *Heidi Rice* • N°3475

Puisque Nick Delisantro ignore toutes ses tentatives pour le joindre, Eva a décidé de passer au plan B : ce soir, elle se rendra au vernissage auquel il doit assister, et lui parlera. Car, après des mois de recherches pour retrouver le dernier héritier du comte De Rossi, le vieil homme pour lequel elle travaille, elle entend bien obtenir un rendez-vous. Mais, si elle sait tout, ou presque, de l'histoire familiale de Nick, Eva n'était pas préparée à affronter son charme ténébreux. Incapable de résister au désir fou qu'il lui inspire immédiatement, elle s'abandonne, entre ses bras, à une nuit de passion. Mais, au matin, Eva sent la panique l'envahir : c'est non seulement son emploi qu'elle vient de mettre en péril, mais aussi son cœur…

LA BRÛLURE D'UN BAISER, *Lindsay Armstrong* • N°3476

Depuis toujours, Mia sait que le monde est divisé en deux catégories de personnes : les play-boys richissimes et flamboyants, comme Carlos O'Connor, et les gens comme elle, la fille de la gouvernante, presque invisibles. Un jour pourtant, il y a cinq ans, Carlos a posé les yeux sur elle. Et Mia n'a jamais oublié le désir qui brillait alors dans son regard, ni la douceur de ses lèvres sur les siennes. Mais, persuadée qu'il se lasserait vite d'elle, et terrifiée par les sentiments qu'il lui inspirait, elle a préféré prendre la fuite. Aujourd'hui, hélas, elle pressent que son passé est sur le point de la rattraper. Car la petite agence d'événementiel qu'elle a créée a été choisie pour organiser le mariage de la sœur de Carlos…

UNE BOULEVERSANTE MÉPRISE, *Michelle Conder* • N°3477

Séjourner dans le plus bel hôtel particulier de Londres, en compagnie du meilleur parti de la ville… qui pourrait croire que cela s'apparente à de la torture pour Lily ? Hélas, non content d'être outrageusement beau, Tristan Garrett est aussi l'homme avec lequel elle a voulu croire, des années plus tôt, à un avenir radieux, avant qu'il ne la bannisse soudainement de sa vie. Aujourd'hui, alors qu'elle a tout perdu, Lily n'a d'autre choix que d'accepter son aide – et son hospitalité… Mais comment supporter, jour et nuit, l'hostilité et le mépris de cet homme qu'elle n'a jamais oublié, mais qui ne fait rien pour lui cacher qu'il ne l'aide qu'à contrecœur ?

UN HÉRITIER POUR LE PRINCE, *Lucy Monroe* • N°3478

Attendre l'enfant du prince Maksim de Volyarus aurait dû être une joie pour Gillian. Maksim n'est-il pas l'amour de sa vie, l'homme qu'elle devait épouser ? C'était du moins ce qu'elle croyait voilà quelques semaines encore, jusqu'à ce jour atroce où les médecins leur ont annoncé qu'elle ne pourrait peut-être pas avoir d'enfant. A la minute même, Maksim a brutalement rompu leurs fiançailles. Dans ces conditions, comment pourrait-elle faire comme si de rien n'était et l'épouser, comme il l'exige maintenant qu'elle porte son héritier ? Car elle sait à présent que leur histoire n'a aucune valeur pour cet homme qui fera toujours passer son devoir avant elle et leur enfant...

LE CHANTAGE D'UN SÉDUCTEUR, *Victoria Parker* • N°3479

Quand elle comprend que l'homme si séduisant qui vient de pénétrer dans son bureau est envoyé par ses parents pour la ramener à Arunthia, Claudia n'a qu'une envie : le mettre à la porte. Sa vie est ici, à Londres, où elle se consacre jour et nuit à un travail qui la passionne, et certainement pas à la cour d'Arunthia, où seule l'attend une vie de devoirs et d'obligations. Mais lorsque Lucas lui propose une importante somme en échange de son retour, Claudia sent sa résolution vaciller. N'a-t-elle pas terriblement besoin de cet argent pour mener à bien le projet qui lui tient tant à cœur ? La mort dans l'âme, elle se résout à céder au chantage de cet homme dont la proximité la trouble profondément, et à le suivre, pour trois semaines, à Arunthia...

AU PIÈGE DE LA TENTATION, *Cathy Williams* • N°3480

Dès qu'elle s'est installée à la campagne, Heather s'est prise d'amitié pour Daniel, le petit garçon qui vit avec sa grand-mère dans la maison voisine. Elle imagine bien le genre d'homme que doit être Leonardo West, le père de l'enfant : un homme entièrement dévoué à ses affaires, riche, puissant et sans cœur. Aussi, quand elle le rencontre enfin, n'hésite-t-elle pas à lui dire vertement ce qu'elle pense de sa conduite. Mais quand Leonardo lui demande, quelque temps plus tard, de s'occuper de son fils, Heather sent la panique l'envahir. Si elle n'a pas le cœur d'abandonner le petit garçon à son sort, elle n'en est pas moins convaincue qu'elle doit se tenir à distance de Leonardo et des sentiments brûlants qu'il éveille en elle, en dépit de toute raison.

LA FIANCÉE INTERDITE, *Sharon Kendrick* • N°3481

Francesca ? Comment la petite sauvageonne qui grimpait aux arbres a-t-elle pu se métamorphoser en cette femme envoûtante ? Et, surtout, que fait cet imposant diamant à son doigt ? Zahid refuse de croire que celle qui n'était hier encore qu'une adolescente puisse être aujourd'hui fiancée. Mais son étonnement n'est rien face à la colère qu'il ressent en découvrant celui qu'elle doit épouser, un homme vil et intéressé. Pour empêcher ce mariage, Zahid décide de tout faire. Sans pouvoir se défaire d'un désagréable sentiment : ne se ment-il pas à lui-même en prétendant agir pour le bien de Francesca ? Car la voir fiancée à un autre éveille en lui un élan possessif et primaire. Un élan auquel il ne peut céder : en tant que cheikh de Khayarzah, il se doit entièrement à son pays et à son peuple...

Composé et édité par les

éditions ✛ HARLEQUIN

Achevé d'imprimer en avril 2014

BRODARD & TAUPIN

La Flèche
Dépôt légal : mai 2014

Imprimé en France